VIAJERO QUE HUYE

URUK EDITORES, S.A.

Uriel Quesada

Viajero que huye

Colección Sulayom Nº 9
Uruk Editores, S.A.
San José, Costa Rica

863.44
Q5v   Quesada, Uriel
            Viajero que huye / Uriel Quesada. – 1a. ed. –
        San José, C.R. : URUK Editores, 2008.
            184 p. ; 21 x 13.3 cm.

            ISBN 978-9977-952-44-4

            1. Cuentos costarricenses. 2. Literatura costa-
        rricense. I. Titulo.

Primera edición: 2008
© Uruk Editores, S.A.
© Uriel Quesada
San José, Costa Rica.
Teléfono: (506) 8393–0561
Correo electrónico: sulayom@urukeditores.com
Internet: www.urukeditores.com

Dirección editorial: Óscar Castillo Rojas

Ilustración de portada: Fotografía © de Dino Starcevic.
Impresión: Publicaciones El Atabal, S.A., San José, Costa Rica

A Karla y a Mike,
a Hilda y a Pedro,
con quienes hallo reposo

Luego hay también las otras verdades.
Son las verdades que vienen de
la escritura nocturna

Claudio Magris

Índice

Uno

Todos los
poetas muertos

Apenas terminó de leer la breve nota en el periódico, Mirma sintió que se estremecían su cuerpo y el de la criatura. *Murió Yolanda Oreamuno. Fue reina de belleza, y también escribía...* El feto se movió inquieto, como si entendiese la angustia que le había producido la noticia a su madre. *Estuvo casada con el eminente abogado e intelectual...* "Volvé a cerrar los ojos", dijo Mirma en voz muy baja mientras recorría con las manos la pequeña inmensidad de su vientre, ahí donde el niño flotaba y, según ella, a ratos dormía y a ratos permanecía en completa vigilia como si estuviera deseoso de ver ya el mundo afuera. "Es muy pronto para sufrir pesadillas por los muertos. No es tu momento, no te toca saber".

En la década de los cuarentas publicó ensayos y cuentos, así como una novela que gustó mucho al culto público capitalino... Mirma puso las manos abiertas sobre la hoja del periódico para ver si le temblaban. Ése era el síntoma más común cuando la intranquilidad se le venía encima, el que más temía su doctor, quien le había ordenado tener paz, impedir que las emociones la agitaran, pues todo se colaría directo al niño. "Reposo y té de hierbas, doña Mirma", le había dicho el doctor. "Caldito de pollo sin sal", fue la recomendación que su madre le hizo llegar por carta desde Nicaragua. Su marido, sin embargo, tenía una perspectiva más pragmática: "Quédese en la casa, Muñeca, y evite esas amistades suyas tan raras. Si a mí me suben la presión arterial, ahora imagínese a usted, así tan frágil como está".

De la sala vino hasta la cocina un ruido, quizás era el tic-tac del reloj o el eco de un corazón oculto en la pared. A Mirma le pareció un suspiro prolongado. Se acarició otra vez el vientre cantando versos sueltos, adormeciendo a la criatura con murmullos cariñosos. Después tomó un lápiz e hizo un círculo alrededor del obituario. *Al momento de su deceso la señora Oreamuno vivía en México. No se conocen las causas del fallecimiento.* Junto al círculo, Mirma dibujó un ojo de mirada triste. Le gustaba mucho dejar figurillas desperdigadas por el diario, fuera una presencia que surgía entre personas apiñadas en una foto, o todo un paisaje en alguna de esas páginas publicitarias donde se abusaba del blanco para darle realce al producto.

Su esposo Delfín siempre se molestaba: "Perdone, Muñeca, pero no me gusta cuando usted raya el periódico, lo siento como una afrenta personal. ¿No le compré un cuadernito para sus dibujos? ¿O es que ustedes, los poetas, no pueden evitar la jodienda? Si tienen un lienzo, rayan una pared; si se les regala papel fino y pluma, se van a manchar paredes; si se les acondiciona un teatro, salen a gritar a la calle. Hay algo muy malo en esas cabezas..."

Delfín, el padre de Jorge, *Deldifunto,* como le diría Mirma después del divorcio, se ponía a sí mismo de ejemplo. Era un periodista entregado a las causas del pueblo, cuya labor política le permitiría vivir con su familia en lugares fabulosos como Nueva York, Moscú y Pekín. Muchos años después, Mirma no recordaría esas mudanzas sin amor, sino más bien como aventuras angustiantes, con mucho prestigio pero con escaso dinero. Se pasaba frío, hambre incluso, aunque igualmente se conocía gente, poetas sobre todo, personas solidarias dispuestas a compartir lo poco que tenían y lo mucho que

16

soñaban. Quizás por ese desbalance entre lo material y lo ideal, Delfín en el fondo despreciaba a los poetas. No quería ser como ellos, seguro de hallarse en una condición superior, la cual tarde o temprano tendría que ser reconocida. Tampoco deseaba que sus niños se mezclaran demasiado con ellos. La poesía era un mal fácilmente transmisible y lo peor sería tener un hijo poeta. Pues Jorge lo fue, quizás por haber nacido unas semanas después de la muerte de Yolanda Oreamuno en ese San José donde no la lloraban suficientes personas.

Alguna vez, desde la nocturnidad de una soda, mirando por las ventanas sucias la ciudad desierta y frágil por la fugacidad de la madrugada, Jorge estaría bebiendo conmigo el siguiente whisky de la jornada. Al cabo de un silencio, me diría una de sus mentiras favoritas:

"Por ese viajar en busca de la oportunidad que finalmente pusiera todo en su sitio para mi padre, no nací en Costa Rica sino en una oscura y helada maternidad en el Bronx. Mis viejos no tenían plata –nunca tuvieron, aunque yo no lo supe sino hasta la adolescencia–, pero tomaron el riesgo de irse para Nueva York, donde supuestamente los esperaba la fortuna en un trabajo con sindicatos y la emergente comunidad latina. Papá trabajaba unas horas en un periódico hispano y después se reunía con grupos de izquierda, dizque para ganar experiencia política. Mientras tanto, mamá debía lidiar con el calor del verano o con el frío invernal en un minúsculo apartamento. El calor solo se podía aliviar abriendo las ventanas. Para el frío había un minúsculo calentador de gas. En alguna parte la tubería estaba rota, porque en el invierno el apartamento encerraba un olor dulzón que aterrorizaba a mi madre. La única manera de protegernos era, otra vez, con las ventanas abiertas, aunque el viento helado se nos metiera hasta el alma. Mi pobre vieja, siempre tan hablantina, los largos inviernos la sumían en un silencio que le venía muy mal. Además sufría porque no era capaz de comunicarse con los vecinos. Intentaba hablarles y le respondían en lenguas incomprensibles –incluso un inglés de acento extrañísimo, que no se parecía a nada. Aquello era una amalgama de pobres de todo el mundo, cada cual negociando con el otro su miedo, su desconfianza y la necesidad imperiosa de darse a entender. Y aunque el inglés era *lingua franca*, acceder a ella requería tiempo, esfuerzo, paciencia y una actitud de desprendimiento de todo lo que hubo antes: otras tierras, otros idiomas, personas amadas... No era fácil, ni aún con la ayuda de los grupos religiosos que ofrecían lecciones de inglés dos veces por semana. Los voluntarios iban y venían. Algunos eran torpes para enseñar, y se impacientaban porque los inmigrantes no aprendían ni una palabra. Mi madre bajaba lentamente desde el tercer piso de un edificio oscuro hasta la calle, con un abriguito corto, insuficiente para hacerla sentirse cómoda. Después caminaba conmigo en el vientre rumbo a una tienda de chinos, donde señalaba con el dedo los productos que quería, y se ayudaba a darse a entender con los dibujitos que hacía en los espacios vacíos del periódico."

"¿Pero vos cómo podés acordarte de esos detalles, si en cierta manera no estabas presente?"

Bebió de su vaso de whisky, su mirada puesta por un momento en la noche distorsionada por la suciedad y la luz reflejada en el cristal, luego puesta en mí, en el fondo de mis ojos.

"Jorge, vos no naciste en Nueva York sino aquí, en este San José. En el Bronx nació tu hermano, ése que murió muy chiquito."

"Es que vos no me entendés", me interrumpió con impaciencia, "uno nace muchas veces así como muere constantemente..." Luego acarició mi mejilla con su mano grande, demasiado fuerte para un poeta. "¿Nos vamos a mi casa? ¿A vivir lo que resta de este momento?"

El cuerpo de la Señora Oreamuno será enterrado en la capital azteca... Esa mañana, Mirma no sabía que en unos cuantos años iba a emprender un viaje a Nueva York, ni que uno de sus hijos nacería en un hospital de caridad del Bronx, ni que ella sería auxiliada por personas de idiomas incomprensibles, pues al momento del parto Delfín se había marchado de la ciudad para conocer a un líder sindical de New Jersey, entregado en cuerpo y alma a documentar lo que consideraba un inevitable cambio histórico. Mirma parió un varoncito débil y oscuro, una criaturita de respiración entrecortada y largos sueños, que decidió morirse al final del siguiente invierno. Para entonces, Delfín había convencido a su mujer de irse a China o la Unión Soviética, donde la nueva sociedad ya estaba consolidada. Cuba estaba fuera de discusión, pues a pesar del entusiasmo continental no pasaba aún de ser un proyecto incipiente. Pero la muerte del niño dejó a Mirma tan huérfana que se reveló, y en pocos días dispuso el viaje de vuelta a Costa Rica. China y la URSS debieron esperar unos cuantos años.

Al momento de su deceso, tenía 40 años de edad. Esa mañana, en lo amplios espacios en blanco de un anuncio de cerveza, Mirma dibujó un ojito triste. Luego trató de borrarlo, al final decidió que estaba bien e incluso buscó los lápices de colores para darles profundidad. "Eran mis ojos", me dijo Jorge muchos años después, "con un párpado un poquito caído, el iris café, la mirada de chiquillo extraviado". Horas más tarde, Delfín le echaría en cara que fuera tan infantil, pues los periódicos no eran para jugar sino para informarse. Aún así, los diarios de la casa estaban repletos de cierto arte ingenuo: flores, paisajes, escenas de fiestas populares y rostros, muchísimos rostros. Bajo una pila de ropa, Mirma escondía el dibujo que más le gustaba. Era el retrato de una mujer muy parecida a ella, con el pelo cortado a lo garçon, labios gruesos –que a sus antiguos amores le recordaban los de Silvana Mangano–, y una gran barriga. La mujer tenía el cuello frágil y tan largo que podía doblar la cabeza para oír lo que había en su vientre. Por esa misma razón sus ojos eran grandes; en ellos había la expresión de quien conoce un secreto terrible y definitivo que ha prometido guardar para siempre.

Le sobreviven su esposo y un hijo. Esa mañana, como en otras ocasiones, intentó escuchar al niño. Echó para atrás la silla y luchó en vano contra la lógica de su anatomía, pues su cabeza era muy pequeña y tampoco podía alargar el cuello a voluntad. No le quedó sino admitir de nuevo su torpeza, esa incapacidad de ser como sus dibujos. Entonces volvió a acariciarse el vientre, esta vez como preguntando. El niño siempre le daba respuestas que Mirma percibía con la yema de los dedos. Para Delfín el embarazo había desatado en su esposa manías inaceptables, pues eso de tocarse tan extrañamente –y decir que se comunicaba con el feto– carecía totalmente de sentido. Así como otras mujeres se antojaban de dulces o comidas extrañas, Mirma parecía más bien preocupada en darle forma a la criatura con las manos, penetrar con ellas en el mundo indescifrable de esa criatura que poco a poco se iba haciendo a la soledad, el germen de todo el género humano.

Era sin duda mañana de muertos. San José estaba cubierta por nubes gris metálico, tan impenetrables que ninguna persona prudente saldría sin un paraguas. Mirma no planeaba abandonar la casa, el médico se lo había prohibido. El niño le pesaba mucho, sus piernas delgadas apenas podían mantenerla en equilibrio y ya llevaba varias noches durmiendo sobre almohadas, no fuera a morir ahogada por sus nuevas dimensiones. Le estaba sucediendo también que caía en breves periodos de adormecimiento en los que veía cosas. Revelaciones, según ella; puras fantasías, según su marido, para quien se debía seguir un rigor de pensamiento que les permitiera estar alertar cuando los cambios políticos –inevitables de por sí– les llamaran a involucrarse. Al principio de su adormecimiento, Mirma regresaba a escenas de un pasado no muy remoto –quedó embarazada de Jorge a los 20 años–, cuando se parecía más a la mujer de sus dibujos. Era delicada, unos huesitos con ojos enormes que despertaban la pasión y la pluma de la poetambre de Granada, su tierra natal. No en vano, la gente de su ciudad empezó a identificarla con la musa que había inspirado versos desgarradores, así como la bohemia a muerte en que muchos poetas se despeñaban sin esperanza. Era tan bella, tan leve, tan provocativa. También era una Trejo, más deseable por cuanto desafiaba su noble linaje y desdeñaba la fortuna de la familia en pos de la poesía. Yo la conocí en San José, en su fiesta de 65 años. Jorge estaba conmigo, me había invitado para que conociera a su madre. Mirma rememoró aquellos tiempos de musa, recitó los poemas de desventurado deseo que había inspirado a la poetambre granadina, se proclamó para siempre la oveja roja de los Trejo, y anunció urbi et orbi su filosofía de la existencia: la alegría es la mejor arma de protesta. Haciendo mofa de su madre, Jorge se llamó a sí mismo la oveja rosa de la familia. "Pero no éstas solo", le dije, "no te olvidés de nosotros, tus amigos, pues juntos formamos un rebaño".

"Mi madre se ha creído siempre destinada al amor: Ésa es su perdición", dijo Jorge mientras la miraba bailar entre las mesas de los invitados. "No la han vencido el exceso, las copas de vino y de piel que desde muy niña ha estado tomando. Lo que la ha hecho vieja es la fe ciega en la sabiduría del corazón".

Fue en ese periodo de militancia en el amor y la rebeldía que conoció a Delfín, quien llegó a Granada a escribir sobre la ciudad y su poetambre. Mirma se dejó seducir por sus palabras, por las promesas de llevarla hasta los últimos rincones del mundo con tal de hacerla feliz. En una decisión que nunca supo explicarse a sí misma –esa fue la excusa cada vez que Jorge le planteó la cuestión– se vino a San José, donde faltaban esos fabulosos caserones de su infancia y los poetas eran más discretos, acostumbrados a luchar palabra a palabra contra el desdén, el ninguneo, el silencio a gritos. Muy pronto, Mirma empezó a echar en falta su espacio y a su gente. Para consolarse, se dedicó a frecuentar mesas de escritores, compró libros, asistió a recitales. Delfín le recomendó que se cuidara, había una reputación que proteger y no se veía bien su presencia en esos ambientes de díscolos y afeminados. Mirma no comprendía las reticencias de su marido, para ella tanto la poetambre local como Delfín defendían los mismos principios. Sin embargo, aunque tuvieran en común la consigna de salvar al pueblo, aunque criticaran con igual énfasis el rumbo de todo lo conocido, aunque compartieran la arrogancia de imaginar un mundo distinto, algo separaba a Delfín de los poetas locales. Había una mutua desconfianza, aunque los ticos no eran de expresar abiertamente sus dudas. Mirma se propuso ser cauta. Pero al final de cuentas, no importaba cuán discreta fuera, o lo poco que frecuentara a la poetambre local, todos sabían quién era su esposo. "La miraban con recelo", me contó Jorge. "Aún ahora muchos no la han aceptado plenamente. Ni siquiera el divorcio de mi padre ha sido suficiente prueba de lealtad. Y ese mismo rechazo me ha afectado a mí también. Ella sigue siendo la nica de Granada, la esposa del hombre que conoció el mundo entero e hizo una pequeña fortuna promoviendo sueños revolucionarios".

La Sra. Oreamuno escribió algunos ensayos que fueron publicados en prestigiosos periódicos y revistas. Rápidamente, la pequeña casita en San José se volvió enorme y vacía. Por esa razón, cuando su cuerpo empezó a poblarse con la criatura, sus constantes duermevelas la llevaron de nuevo a épocas mejores. También surgió como un vicio la necesidad de dibujar, primero el fugaz recuerdo de lo soñado, luego la obsesiva figura de la mujer de cuello largo, ésa que veía el pasado y vislumbraba el futuro, incluso este día en el que tanto los echo de menos a Jorge y a Mirma. En una de las últimas noches de bohemia juntos, Jorge sacó de su chaqueta olorosa a tabaco unas hojas de papel escritas a mano, con letra menuda y firme. Era la crónica del día que su madre se lanzó a calle en busca de alguien que recordara a Yolanda Oreamuno y sintiera pesar por su partida. Esa Yolanda, la escritora, la que se ahogó en San José, la que no pudo perdonar ni pidió perdón y prefirió marcharse con su talento y su belleza hasta recalar en México, donde murió enferma y pobre.

"Vos conservá estos papeles". El texto le temblaba en las manos. "Yo me conozco, he estado a punto de perderlos en mis mudanzas... de milagro no los he quemado... vos sabés: dejo los cigarrillos tirados por cualquier parte..."

Seguidamente sacó otro manojo de papeles, los extendió entre los vasos sucios de whisky y me dijo que Mirma me había conocido en uno de sus raptos: "Estabas llorando, maricón, pero mi madre siempre creyó más bien que ese hombre con los ojos desbordados de lágrimas era yo lamentando a un muerto..." Los papeles rebozaban dibujos absurdos, casi infantiles. "Ella me los dio cuando yo ya podía entender la muerte sin perturbarme... me los dio como prueba de mi destino..."

"¿Pero cómo podés estar tan seguro de que ése de los dibujos soy yo?", repliqué.

"Porque yo nunca lloro, en cambio a vos te he sorprendido lagrimones con mucha frecuencia. Además, cuando me topo con estos papeles la primera imagen que se me viene a la cabeza es mi madre contándome sus revelaciones del hombre que llora sus pérdidas... Ese hombre no soy yo, no puedo serlo".

Tomó un largo sorbo de su copa y después me transmitió el consejo de su madre: "Nunca llorés solo. No hay sufrimiento tan intenso como aquel que no podemos compartir con alguien".

Asustada, Mirma abrió los ojos. En lugar de la poetambre celebrando la vida había visto a un hombre inclinado sobre un escritorio minúsculo, llorando. Estaba en un cuarto de paredes descascaradas por la humedad, con ventanales por los que se asomaban unas palomas. Pasaba el tiempo y el hombre sufría sin que nadie acudiera a consolarlo. Mirma tuvo la convicción de que ese extraño −supuestamente el hijo por nacer− la lloraba a ella.

Al momento de su deceso vivía en México. Volvió a leer la información, tan parca, sobre Yolanda Oreamuno. Se le vino encima un nuevo acceso de angustia, pues su voz interna la convenció de que esa nota luctuosa era también la suya. Habría que hacer ajustes a su necrología, como el lugar, la fecha y causas de su defunción, quizás también el número de hijos, pero en términos generales la nota de Yolanda anunciaba su propia desaparición, arrastrada al exilio y a la soledad por pasiones absurdas como el amor o la fe en los libros. Entonces tomó una decisión. Contra las recomendaciones de su médico, salió a la calle a buscar un teléfono e intentar comunicarse con Delfín. "Está ocupado", le respondieron en el periódico. "Es su esposa", repuso ella como en un ruego. "Voy a avisarle, pero usted lo conoce mejor que nosotros. Se va a molestar". Esperó en la línea una eternidad. Cuando por fin se puso al teléfono, Mirma creía desfallecer. "¿Pasa algo, Muñeca? Me interrumpió". Él intentaba sonar tranquilo. Mirma apenas pudo balbucear: "Estoy muy asustada, he visto el futuro". De inmediato su esposo cambió el tono de voz. "¿Para eso me ha llamado?" Ella suspiró profundamente. "Se murió Yolanda Oreamuno". Hubo una pausa. "Nadie quería a esa mujer, Muñeca, siempre hablando mal de Costa Rica ¿Usted la conocía?" Delfín no entendió la respuesta de su esposa. Le ordenó calmarse y volver a repetir todo muy despacio. "Nunca la he visto en mi vida... pero está muerta". Delfín tapó el auricular con una mano, por lo que Mirma pudo distinguir voces aunque no una conversación propiamente dicha. "Vea, Muñeca, estoy muy ocupado", Delfín había terminado de hablar con la otra persona, "váyase a la casa y se toma un té, después duerma toda la tarde y verá como se despierta más tranquila". Ella, sin embargo, necesitaba algo de consuelo: ¿Tendría que pedírselo expresamente? "¿A qué hora vas a llegar?", Mirma no se preocupó de esconder su desdicha, su marido nunca la percibiría. "No sé", le respondió.

Jorge me diría que su madre le tuvo miedo desde antes de nacer. Ella nunca me contó de las visiones, pero tal vez sí. Una vez, por ejemplo, habíamos estado tomando en un bar y la llevé a casa. Jorge andaba de gira con otros poetas, así que el caserón donde había terminado la familia después del ascenso y declive de Delfín estaba a oscuras. "Sentate y prometeme una cosa", me dijo mientras preparaba sendos tragos en el barcito de la sala, "nunca dejés solo a Jorge, aun cuando ya no lo querás". En aquella etapa de nuestra relación tal solicitud no solamente era posible, sino hasta natural. Yo lo entendí como una prueba de confianza, de complicidad. "No te preocupés, Mirma, contamos el uno con el otro". Ella me dio una copa y bebió la mitad de la suya de un sorbo. "Me conmovés, sos tan honesto que no te das cuenta de tus propias mentiras". Para mí ésas fueron palabras de borracha triste, aunque la mayor parte de las veces los tragos ponían a Mirma de muy buen humor, y era divertida y amena. Pero yo no sabía de las premoniciones. Ella vio una versión del futuro esa tarde cuando Yolanda Oreamuno murió y se dedicó a contársela a su hijo. Jorge nunca supo a ciencia cierta hasta dónde su vida estuvo en verdad predestinada, o si más bien él orientó sus actos para que se cumplieran los temores de su madre y darle así esa horrible paz de cuando los peores sueños se cumplen. "Hay otra alternativa", reflexioné ante sus palabras, "has interpretado tu vida de acuerdo con las visiones de tu madre, vos mismo te has dedicado a inventar conexiones entre eventos y palabras que de otra forma nunca se hubieran entrecruzado". "Por eso soy poeta", respondió con su vaso de whisky en la mano, "como vos y mi madre". Asentí agradecido por pertenecer al mismo grupo de malditos.

Y también escribía... Mirma se fue calle abajo preguntándole a los transeúntes si sabían de Yolanda Oreamuno. Algunos le ofrecieron ayuda: "¿Vive por aquí? ¿Sabe cómo encontrarla?" No podía compartir su duelo con esos extraños, ni interpretar ese momento de soledad como un signo que traía estampado en la frente. A pesar de su cansancio siguió andando sin rumbo hasta encontrarse cerca de donde vivía un profesor de inglés que también escribía. No eran amigos íntimos, pero al menos habían conversado en algunos eventos literarios recientes. Ella había leído varios de sus libros y los amaba. Llamó tímidamente a la puerta de la casa hasta que la mujer del escritor le abrió: "No la estaba esperando a usted, pero sabía que alguien iba a venir. Entre". Mirma subió con dificultad un par de escalones. La casa era más pequeña por dentro que por fuera, un oscuro cajón de madera que olía a pisos limpios.

"Usted es la esposa del periodista", dijo la mujer animando a Mirma a seguirla hasta la diminuta cocina.

"Y usted, Teresa Robles", contestó tímidamente.

"Es triste conocerse en estas circunstancias, aunque ya nos hayamos visto en varias tertulias y recitales de poesía. ¿Tiene usted familia aquí en San José?"

Mirma sacudió la cabeza. Se sentía agotada, consciente del peso de la criatura en su vientre.

Teresa la invitó a sentarse a la mesa con un gesto. Sin hacer preguntas puso agua a calentar.

"Damián se ha sentido muy mal", dijo mientras colocaba una azucarera, un cesto con pan y tres tazas en la mesa. "Se ha pasado bebiendo desde esta mañana, apenas supo la noticia. Él no acostumbra beber así, nunca lo ha hecho, y decidí mandar a mis hijas donde mi hermana... es increíble lo silenciosa que se ha puesto la casa sin las chiquitas".

Terminó de colar el café y se sentó frente a Mirma.

"Coma algo, señora, le hará bien a la criatura".

Pero lo que realmente quería hacer Mirma era lanzarse a los brazos de esa mujer, llorar como lo hubiera hecho con su mejor amiga.

"Yo conocí a Yolanda muy bien. La admiraba desde joven. Mujer valiente", dijo Teresa con dulzura.

Sin estar muy segura de los motivos, Mirma se echó a sollozar:

"Lo siento tanto... me da una pena terrible... no entiendo nada".

Teresa la tomó de las manos.

"Ahora usted va a tener un hijo. Cuídese y cuídelo, no hay más que entender". Mirma respondió con un movimiento extraño, mezcla de un enfático *sí* y de un estremecimiento. "Va a nacer aquí, en Costa Rica, será poeta y no morirá solo".

Teresa apretó las manos de la joven: "Claro, claro". Tenía en el semblante una expresión de piedad, como si conociera algo oscuro que debía guardar en secreto. En ese instante Damián se asomó a la puerta de la cocina. Era un hombre magro, de pelo ensortijado y bigote. Se movía con la lentitud de quien recién se ha despertado en un lugar y un tiempo que no le son familiares.

"Mirá, Damián, ella es Mirma Trejo. ¿Te acordás? Viene a darnos el pésame", anunció Teresa. "Por lo de Yolanda".

Damián se dejó caer en la única silla desocupada. Ahora parecía desorientado y furioso. Por un momento no se oyó más que el sonido del café cayendo del pichel de peltre a una taza. Los esposos dejaron a Mirma sollozar hasta que ella se sintió un poco aliviada.

"¿Sabés lo que no le perdono a Yolanda?", dijo Damián sin dirigirse a nadie en particular, aunque quizás se estaba hablando a sí mismo. "Que no aguantara. Escribir, en ocasiones vivir, no es otra cosa más que aguantar".

Mirma asintió como se hace cuando uno descubre una verdad evidente: con miedo y maravilla. Teresa, por su parte, saboreó el café en silencio, rescatando algo de tiempo y espacio propios.

De repente, Damián se levantó, fue a su cuarto y trajo un libro. En la primera página escribió: *Para Mirma Trejo, la flama.* Después no hablaron más de Yolanda sino del niño por nacer, de los magníficos poetas nicaragüenses, y de lo mucho que Mirma se parecía a Silvana Mangano.

Años después, cuando Jorge recibió el libro de regalo, le preguntó a su madre el significado de esa palabra. "Vos sos poeta", fue su respuesta, "te toca perseguir su significado

27

hasta lo más profundo". Jorge conservó el libro por años y lo puso en mis manos cuando le dije que me iba, que contra viento y marea me marchaba. Avivado por la curiosidad, le pregunté si había llegado a desentrañar el sentido de *la flama*. "Aún estoy en ello", respondió con una voz muy triste, tan similar a la de todos lo adioses y a la vez tan única. "Aguantá siempre, Jorge, hacelo por vos, por mí también", le dije. Y aunque hizo esa promesa, murió al poco tiempo de haber iniciado mi viaje. No lo supe por Mirma, sino por un amigo común, quién a su vez lo supo por otra persona: "No podría decir si sufrió al momento de morir. Lo encontraron echado en el sofá de la sala, vestido de traje entero, con un hilo de sangre colgándole de la boca. Quién lo vio por última vez fue una vecina. Le dijo Jorge que pensaba salir a divertirse y ella no se preocupó sino hasta días después, pues a menudo se desaparecía fuera por escribir o por un amante".

Y aunque llamé a Mirma, ella nunca contestó el teléfono. Dejé recados, envié tarjetas que nunca tuvieron respuesta. Seguí viajando, pues la inercia de poner distancia era más fuerte que los lazos con los muertos y con los vivos amados. Continué alejándome hasta encallar en este cuartillo, en el tercer piso de una casa enorme y decadente, desde donde veo a unas palomas que han anidado en un hueco del techo y ellas, supongo, me ven a mí. Hace un par de noches tuve un sueño que me hizo escribir de inmediato rogando información sobre Mirma. "¿Nadie te dijo nada?", me respondieron por correo electrónico. "Esa señora murió el lunes mientras dormía. Ya la enterraron, pero no junto a Jorge. No se sabe dónde está su cuerpo".

Me trago el primer sollozo como si alguien me fuera a oír, como si le importara a alguna persona mi llanto. Me voy al librero que he hecho con tablas viejas y ladrillos. Saco un libro de Damián Robles y lo abro donde está la dedicatoria: *Para Mirma Trejo, la flama*. "No aguantaste, cabrona, hiciste lo mismo que Jorge, no aguantaste". Entonces vuelvo a mi escritorio y lloro. Me imagino que desde el fondo de la hoja de papel Mirma me mira llorar. Como si fuera la circunstancia propicia para lamentar a ciertos muertos yo también estoy solo, inclinado sobre ese escritorio de niño que ha dejado quien vivió antes en este cuarto. El escritorio es demasiado estrecho y bajo, me provoca dolores de espalda. Además está adornado con florecillas y con calcomanías de personajes de las caricaturas. Así que lloro y me río. Lloro por el dolor del alma y por la mala postura. Lloro y me imagino que Mirma toma las lágrimas y las transforma en el dibujo de una joven de cuello largo, embarazada. A mayor llanto, más crece el vientre de esa mujer de ojos grandes. Entre más solo me siento, mayores son las carcajadas que me devuelve Mirma desde mi imaginación.

El cuarto donde he recibido la noticia tiene forma extraña, por lo que pocas cosas caben y a la vez se desperdicia mucho espacio. Sobre el suelo tengo un desorden de papeles, en ellos están revueltos mi vida y mis pensamientos. Afuera se mecen las altas copas de un roble. Veo a unas ardillas correr de un lado a otro por las ramas, oigo el ruido profundo y lúgubre de las palomas. El chico que me ha subarrendado el cuarto –sin preguntas, sin papeles, no quiere meterse en problemas con los caseros pero necesita el dinero– se ha encerrado en su habitación apenas me ha visto llorar. No hay quien me consuele en toda la inmensidad de esta casa.

Por la ventana la primavera se anuncia con una explosión de magnolias. A pesar de todo la vida sigue. Tal vez deba salir a buscar en esas calles a quién darle mi pésame: "Murió Mirma Trejo. Fue amada por poetas, y también escribía. Supo interpretar el sentido de la palabra *flama* y el sino de los poetas". Sí, saldré a gritar como un loco. Llevaré conmigo el libro con la dedicatoria. Allá afuera, en alguna parte, sin saberlo aún, hay alguien esperándome. Voy en su búsqueda.

New Orleans, agosto 2005- Baltimore, junio 2007

Escuchando
al maestro

La conferencia de Borges en Tulane University quedó fijada para las cuatro de la tarde de un viernes de octubre, el único mes fresco en New Orleans. Sería a principios del otoño, la estación que tanto le gustaba a Borges porque podía oler en las hojas oxidadas cierta plenitud más poderosa incluso que la muerte. Según los rumores oírlo hablar de las hojas causaba confusión, pues se refería a ellas como si las viera desde lejos, aunque ya para entonces estaba completamente ciego y si acaso las escucharía crujir además de olerlas. Pero New Orleans no era, nunca ha sido, el mejor lugar para escuchar el otoño. Los signos de la estación son apenas perceptibles y solamente unos pocos árboles suelen deshacerse de su follaje, en lucha abierta contra la humedad del golfo y las corrientes que arrastran desde el Pacífico gotas microscópicas por toda la superficie continental. A pesar de sus colores y su simulada levedad, las hojas en Louisiana caen pesadas y crean capas resbalosas que despiden mal olor a los pocos días de permanecer en las calles. Si Borges había escogido New Orleans en esa época del año tendría que crear el paisaje por sí mismo. Igualmente tendría que inventarse los recuerdos de la casa donde William Faulkner escribió *Soldier's Pay*, de la mansión en Garden District donde Mark

Twain solía hospedarse y de la guarida de Tennessee Williams, ahora convertida en un piano-bar.

Borges llegaba a Tulane gloriosamente vencido. Apenas un año antes el premio Nóbel se le había escapado definitivamente de las manos, pero para su consuelo los jugosos territorios de la Academia Norteamericana eran suyos. Cada una de sus apariciones públicas representaba un nuevo homenaje, otro campus rendido ante su genio y más dólares en su cuenta bancaria. Borges había entrado al exclusivo círculo de los escritores idolatrados en las universidades, lo que le garantizaba el sustento y el aplauso de un público selecto, sensible e influyente. También le permitía asomarse a la inmortalidad, conocerse y descubrirse a sí mismo a través de numerosos artículos sobre su obra y su persona. Nosotros, quienes veníamos del patio feo del mundo, nos robábamos para consuelo personal parte del aura de Borges aunque no lo admitiéramos ni en público ni en privado. Él era de los nuestros a pesar de identificarse como argentino. Nos pertenecía porque su país estaba tan jodido como Chile, El Salvador o Nicaragua, con una dictadura en lenta agonía y una guerra absurda demasiado fresca en la memoria. Lo supiera o no, Borges representaba a los que se habían quedado y a los que huíamos, quizás más a los segundos que a los primeros, porque desde muy joven él también había empezado a deambular por regiones y culturas lejanas, tan metido en su biblioteca y tan fuera de todo que ninguno de nosotros podía siquiera comprender a cabalidad los extremos de su viaje. Por eso Borges nos provocaba un sentimiento amargo, entre la admiración por su inteligencia y el desprecio por su traición. Y ese viernes de principios del otoño el viejo comparecería ante todos. Algunos —pensaba yo— irían con las acusaciones bajo el brazo, otros por el simple deslumbramiento que producía su nombre. Estaríamos ahí por amor u odio, apenas unos cuantos por razones intelectuales, las más aburridas e intrascendentes en aquella época.

Borges charlaría sobre alguna de sus pasiones: La cábala, si mal no me acuerdo, pues la invitación a Tulane corría a cargo del Centro de Estudios Judaicos. Hablaría en inglés como fina atención a su audiencia mayoritaria. Contestaría preguntas por un máximo de quince minutos porque a su edad el cansancio no le permitía más. Cualquier dardo o reclamo, cualquier pregunta que lo pusiera en un apuro –si acaso fuera posible poner a Borges en apuros– tendría que hacerse apenas él terminara su esotérica disquisición. Y estaríamos todos listos: sus defensores, sus fiscales, los que se negaban a escucharlo y juraban que llevarían tapones para los oídos, los que acarreaban su pasión en los puños porque había tanta lucha pendiente desde México hasta el extremo sur del continente. Estarían también aquéllos que se encogían de hombros y nos decían que los latinoamericanos éramos imposibles de comprender, una partida de pendejos ansiosos porque un escritor, nada más que un escritor, daría una charla sobre un tema típico de escritores.

Veríamos a Borges en *Dixon Hall*, el más respetable y añejo teatro del campus. Un edificio de madera ligeramente oloroso a moho, con una acústica igualmente antigua que sin duda iba a perpetuar en un eco solemne cada palabra de Borges, él tan dado a conversar en susurros, como si su conocimiento se disipara en el acto de enunciarlo a grandes voces. *Dixon Hall* no era tanto un teatro como un santuario. Ahí cometían excesos los personajes de Shakespeare durante la temporada teatral de verano. Ahí se presentaban los intelectuales de mayor altura y costo, a cuyas charlas asistíamos para abrir nuestra mente a nuevas ideas y también para comer, pues usualmente esas actividades terminaban con una generosa recepción en un saloncito al lado. Nosotros padecíamos el hambre intelectual y física de casi todos los estudiantes latinoamericanos. Gracias al cielo, para saciar ambas existía *Dixon Hall*. Pero más allá de satisfacer prosaicas necesidades, ese teatro era mi refugio particular. Cada viernes huía a escuchar música y a mirar gente. Llegaban muchas personas –la mayoría de cierta edad, vestidas con elegancia– a disfrutar conciertos con ese fervor reverente de los iniciados. Era un público incapaz de estropear la ejecución de un cuarteto de cuerdas o de un aria de ópera con una risa inoportuna. Era una audiencia entrenada para toser solamente en los intermedios y aún así hacerlo con discreción, como si cada cual hubiera aceptado una serie de reglas por el mero hecho de haber ingresado a la sala de conciertos. Yo miraba a esos hombres y a esas mujeres, pero no sentía ninguna empatía a pesar de nuestra mutua pasión por la música. Me daba vergüenza hablar con ellos, a veces los odiaba sin saber por qué. Cada noche de concierto me iba con mis jeans desteñidos, mis camisas de niño bueno y una boina rematada en una estrella, la cual me quitaba al entrar como lo hacían los creyentes frente a las puertas de sus templos. En mi caso, al menos, no me movía la fe. Usualmente me sentaba solo, aislado de todos en un rincón del teatro. Tosía como los demás en los descansos. Me aferraba a los brazos de la butaca para sentir la música a plenitud, pues hacía vibrar la estructura del edificio y penetraba en la madera intensamente hasta desaparecer en su profundidad. Yo, que creía haber llorado por todo y por todos, que me pensaba incapaz de conmoverme después de tantas bombas, de guerras sin fin, de exilios. Yo y mi solidaridad costarricense, tan segura, tan aséptica. Yo, que había disfrazado la desazón con cinismo, que no haría lo suficiente para evitar que mi país fuera neutralmente vendido a perpetuidad. Yo, que no había huido más hacia el norte y el este por falta de oportunidades y de cojones. Yo, el furioso, el silencioso, el encerrado, lloraba de puro placer en *Dixon Hall*. Al final de los conciertos salía a paso veloz, mirando la hora como si alguien me esperara, secándome con disimulo cualquier posible lágrima.

Escuchando la música, me preguntaba si yo mismo no era un traidor. Aunque me había formado en ciertos grupos progresistas de entonces, muy dentro de mí sospechaba que había dejado de cumplir mis deberes. Nicaragua se había liberado sin mi participación y ahora se estaba reconstruyendo gracias al trabajo abnegado de cientos de voluntarios internacionalistas. Yo solo había visto el proceso desde el otro lado de la frontera, mezclado con un grupo de drogos pacifistas que demandaban el cese de toda intervención imperialista. Había escuchado horrores sobre la guerra en El Salvador, pero no contribuía a las colectas para comprar armas ni me gustaban las pupusas. Guatemala estaba demasiado lejos... Para peores, había prestado oídos a los rumores de un cisma en nuestra agrupación que provocaría rupturas y cacerías de brujas. Con los pies sobre esa línea que divide la prudencia y el miedo, había atendido los consejos de un compañero profesor, quien primero me recomendó que dejara de frecuentar a ciertas personas, y finalmente me habló de sus contactos en el país enemigo y de la posibilidad de conseguir una beca para un estudiante tan dotado como yo, tan preocupado por el curso de los eventos en América Latina. Jamás pensé que mi camarada tuviera conocidos en el último país del mundo donde hubiera querido estudiar. Tampoco que yo diría *sí* y que saldría como los ladrones, oculto de los demás y de mí mismo, sin pensar que a nadie le importaba, ocupados todos en luchas de poder y rencillas personales.

Ese viernes de octubre no habría concierto porque Borges hablaría en mi territorio secreto. Una vez en mis predios yo le reclamaría su ausencia de los eventos que desgarraban a nuestros pueblos. Él era La Voz, y yo no podía admitir que viniera a Tulane a charlar sobre la cábala, a ser cómplice de esa audiencia acomodada en su bienestar. Quizás al mismo tiempo, yo podría expiar parte de esa culpa que no comprendía ni aún cuando escuchaba la música más sublime. Borges y yo tendríamos unos segundos frente a frente, él como si me mirara, yo como si pudiera ser visto por sus ojos muertos: "Pronúnciese, maestro", planeaba decirle, "llénese las manos de mierda, usted que no la ha comido como nosotros".

Convoqué a mis camaradas, gente de seis o siete países unida por el hecho de estar fuera, y les propuse dar el golpe durante la sesión de preguntas y respuestas. Tendríamos a Borges como pretexto para dejar constancia de nuestra inconformidad y rebeldía, tan necesaria en esa época de nuevas invasiones y olvido. Le diríamos al viejo que aún lo estábamos esperando. Demandaríamos de él simplemente unas palabras para que su figura creciera ante nuestros ojos y de paso nos salvara, al menos a mí.

Yo gozaba de algún prestigio como agitador político. Quizás era demasiado vehemente en mis intervenciones, o estaba muy solo y por eso hablaba hasta por los codos. La cosa es que mis camaradas me prestaban atención y hasta habían salido a la calle con pancartas demandando cambios que los transeúntes no entendían ni les importaban. Así las cosas, hubo aplausos porque Borges era quien era y su conferencia reuniría en *Dixon Hall* a las autoridades de más alto rango, el corazón mismo del *status quo* que debía ser puesto en crisis.

Le dimos forma a nuestro plan en el mismo bar del French Quarter donde dicen que se tramó el complot para asesinar a John F. Kennedy. En voz alta leí fragmentos de la obra borgeana. Hubo consenso en llamarla impenetrable, evasiva, cómplice, pequeño-burguesa, alejada de las urgencias del pueblo. Sin embargo alguien se atrevió a sugerir que mi lectura demostraba un gozo por esos poemas y esos cuentos. Rápidamente me encargué de reprimir las posibles disidencias con un discurso denigrativo, fundado no tanto en mi conocimiento de la teoría marxista como en ciertas frases que había escuchado en situaciones similares. Hubo que callarme para poder pasar al siguiente tema. Evacué dudas respecto a qué le pasó a Borges durante la época de Perón, o dónde estaba cuando los milicos hicieron caer a Isabelita. Les recordé que Borges había aceptado un homenaje de Pinochet en 1976. Luego minimicé cualquier temor de estar embarcando a todos en una aventura que pusiera en peligro nuestra permanencia en la universidad. Para

lograrlo, invoqué el espíritu de lucha, nuestra pasión latinoa-
mericanista, lo justo de nuestras demandas, el derecho a ex-
presarnos libremente. "Esta oportunidad merece asumir riesgos", dije sin mirar los rostros de mis camaradas, "de todas formas yo seré el primero en hablar, yo estaré ahí de frente".
Creo que todos asintieron, aunque no pude ver sus ojos por
temor a que leyeran en mí alguna otra intención.

Sorteamos una absurda lista de tareas utilizando papelitos doblados. ¿Quién recogerá los boletos? ¿Quiénes nos
guardarán lugar en la fila? ¿Quién hará algunas fotos para documentar la llegada de Borges y nuestra intervención? ¿Cómo
nos vamos a distribuir por el teatro? ¿Nos apoyará la concurrencia? ¿Cuántas preguntas se harán? ¿Quiénes, además de
mí, van a acercarse al micrófono, enfrentarse al público y soltar las preguntas? ¿Cómo vamos a escapar si algo malo ocurre?
Todos conocíamos la disciplina y la obligación de dejar a un
lado nuestras pequeñas ambiciones individualistas por el proyecto común. Por eso cada uno tomó un papelito, leyó sus
deberes, asintió y, aún sin admitirlo explícitamente, me dejó
mandar.

Los días previos a la conferencia casi no nos vimos. Yo
recibía llamadas para tener noticias de cómo se iban cum-
pliendo cada una de las etapas del plan. Si alguien mostraba
flaqueza, le recomendaba reflexionar sobre su actitud, recor-
dándole quiénes verdaderamente estaban asumiendo riesgos,
y quiénes no. Obtuvimos las entradas con suficiente anticipa-
ción, una idea del sector donde nos sentaríamos, el contenido de las intervenciones.

Lo que nadie supo fue la secreta reverencia con que re-
pasé algunas páginas de Borges, y cómo lamenté que el viejo
ya no diera autógrafos. Nadie se enteró tampoco de que el
jueves víspera de la conferencia vi a Borges en pleno French
Quarter. Dos hombres lo ayudaron a bajar de un carro negro
frente al Preservation Jazz Hall, y casi en vilo lo llevaron dentro. Sin dudar un instante pagué mi entrada, y entré dispuesto

a fingir un encuentro casual con Borges. Él estaba en primera fila, con María K. sentada a su lado, los dos asediados por personas que no cesaban de hablar. Les presentaron a los músicos, algunos casi tan viejos como Borges, todos negros, vestidos con trajes un poco raídos que contrastaban con la formalidad del impecable escritor. Ninguno de los músicos parecía entender quiénes eran esas personas, así que cumplieron el rito de estrecharles la mano más por cortesía que por otra cosa. Yo me quedé atrás, apoyado en una columna, un poco a la sombra. El Preservation Jazz Hall siempre me producía ansiedad, con ese airecillo de habitación a punto de venirse abajo. Como muchos otros establecimientos en New Orleans, el espacio era mínimo y la ventilación muy poca. Hacía calor aunque para andar en la calle uno necesitaba una chaqueta gruesa. Las luces ambarinas, los instrumentos manchados por el tiempo y el uso, el piso sucio, las paredes descascaradas... todo me hacía sentir que estaba en una foto en sepia. ¿Qué podría percibir Borges con sus ojos inútiles? ¿Acaso eran los susurros de María K. el medio por el que la realidad del entorno se metía en su imaginación?

Borges se quedó casi inmóvil durante toda la presentación. A veces María K. le arreglaba el pelo con un peinecillo que el escritor traía en su saco. Cuándo movía la cabeza me daba la impresión de que estaba sonriendo. Entonces recordé que jamás había conversado con un ciego, por lo cual me asaltaron dudas absurdas: ¿Para dónde mira uno cuando habla con un ciego? ¿Cómo referirse a las cosas, si en el diario vivir uno da por sentado que la otra persona entiende de colores y formas? Estaba sumido en mis cavilaciones cuando el concierto terminó. Borges y su grupo salieron sin que nadie los molestara. Yo no pude acercarme. Me dio miedo, creo.

Ese viernes de octubre amaneció con un cielo deprimente que no aclaró hasta después de las tres y cuarto de la tarde. Recuerdo que la gente en el campus andaba cabizbaja para evitar el embate de las ráfagas de lluvia. Mis camaradas y yo hicimos un rápido balance de la situación, repasamos nuestra distribución en la platea y el balcón, las preguntas y el orden en que serían formuladas. Tal vez jugando a los espías, decidimos entrar y salir cada cual por su lado, sin conversar más de lo necesario. Nos separamos casi sin nerviosismo, pero nadie se deseó suerte.

Fue relativamente sencillo perderle la pista a mis compañeros porque había muchísimas personas en la entrada de *Dixon Hall*. Una vez que estuve solo, me acerqué con disimulo a la puerta de artistas por donde Borges estaba supuesto a entrar. Llevaba en mi chaqueta una camarita fotográfica lo suficientemente discreta como para que nadie la advirtiera. Según supe, mucha de la gente congregada junto al acceso de artistas no había conseguido entrada y quería al menos ver pasar al maestro. "¿Usted tampoco tiene su tiquete?", me preguntó alguien, "porque si no se apura no va a poder entrar". "No me interesa ver a Borges", contesté mirando la acera que conducía a la entrada principal, cada minuto más concurrida y agitada. "¿Entonces qué hace aquí?", replicó molesta la persona. "Vengo a verlos a ustedes".

Pasaban grupos en traje de concierto y de ópera, corrían estudiantes a encontrarse con sus amigos para ingresar juntos al teatro. Ya para las tres y treinta y seis, el bullicio de *Dixon Hall* salía a la calle. Yo estaba muy ansioso porque la gente no cesaba de entrar y porque era ya muy numeroso el grupo congregado cerca de la puerta de artistas. Empecé a tomar fotos con la intención de permanecer ocupado y capturar el ambiente. Aquéllo parecía el recibimiento a un cantante de rock y nadie me iba a creer la historia si no mostraba la multitud apretujada entre los charcos, lista para abalanzarse sobre el viejo escritor. Hacia las tres y cuarenta oí que Borges no utilizaría esa entrada sino una al lado opuesto del edificio, que daba al depósito de utilería del teatro. Muchos empezaron a correr. Yo dudé e hice más fotos. Un minuto más tarde alguien dijo que Borges estaba llegando, así que me lancé con la turba. Llegué cuando el automóvil de la noche anterior se retiraba por una calle lateral. El viejo ya había descendido y otra vez lo llevaban en vilo. En vano intenté acercarme, así que levanté mis brazos y seguí tomando fotos sin concierto ni objetivo hasta que supuse que Borges había entrado al depósito de utilería. Entonces corrí a la puerta principal del teatro a empujar de nuevo a la gente, a agitar mi entrada delante de todos. Finalmente fui arrastrado hasta la zona de butacas. Contra toda norma de conducta, había gente sentada en el pasillo central y en las escaleras que conducían al balcón. Traté de hallar a mis compañeros, pero ni aún con la mejor voluntad esa tarea era posible y el tumulto me llevó hacia la escalera del balcón central. Subí pisando a la gente, necesitaba un punto para anclarme y al menos sobrevivir a esa catástrofe de fanáticos ansiosos de ver y oír a Borges reflexionar sobre la cábala. Curiosamente las personas a mi alrededor parecían estar felices, gozar el caos, el apretujamiento y los pisotones. Un hombre a quien no pude reconocer se acercó a un podio colocado a la derecha del escenario. Pidió orden, rogó salir a quienes no tuvieran su boleto. La muchedumbre le respondió con una silbatina. El hombre prefirió dejar de insistir y desapareció. Yo terminé arrojado en una butaca, de la cual no me moví a pesar de los reclamos de una chica que guardaba el asiento para alguien. A la distancia en el escenario se veía una mesa con cinco sillas, iluminada con un potente foco blanco. Detrás, una gasa de color neutro creaba la ilusión de un espacio mayor. Desde mi asiento y con mi cámara, tomar fotos de Borges era absurdo. Al menos, no muy lejos estaba uno de los micrófonos destinados a las preguntas de los asistentes. Yo guardaba la mía y la iba a hacer aunque para ello tuviera que saltar por encima de toda la gente que no acababa de acomodarse.

Pocos minutos después de las cuatro, las lámparas de la sala fueron del amarillo al ámbar y luego se apagaron por completo. El haz blanco hizo resaltar la mesa principal y las conversaciones se esfumaron lentamente, como ocurría en los conciertos. Yo tosí casi por instinto y empecé a repasar mentalmente mi pregunta: "Señor Borges, teniendo en cuenta la situación actual de América Latina..." Un aplauso me interrumpió. De uno de los foros salieron una mujer muy alta, algunos tipos con cara de autoridad universitaria y Borges, conducido por María K. Fue una lenta procesión hacia los asientos que tenían asignados, que sirvió para que la gente aplaudiera hasta sentir dolor en las manos. Yo hice un último intento de lograr una foto, pero apenas veía unos puntos difusos cruzar de un lado al otro en el diminuto horizonte del visor.

La mujer alta, iluminada por un seguidor, se dirigió al podio. Hizo las presentaciones, dio los agradecimientos y cuando iniciaba una apología de Borges su voz empezó a quebrarse. No lloraba la mujer, no dudaba, simplemente había trozos de su exposición que se perdían por fallas en el equipo de sonido del teatro. Su discurso nos llegaba en fragmentos cada vez más breves y discontinuos. Si al principio oíamos frases enteras, pronto solamente pudimos comprender palabras aisladas, poco más tarde no escuchamos sino ruidos como truenos. La reacción del auditorio, curiosamente, fue guardar más silencio y parpadear al ritmo de las interrupciones. Muy profesional en su papel de anfitriona, la mujer no mostró consternación ni alarma. Siguió leyendo hasta el final, mostrando una especial dignidad ante la amenaza del ridículo. Las otras autoridades, desde la mesa, guardaban igualmente la compostura. Nosotros supimos que la señora había acabado su intervención porque hizo un gesto hacia Borges, invitándolo a dirigirse a su público. Una nueva avalancha de aplausos correspondió al gesto. Creo que Borges sonrió. Con la ayuda de María K. verificó la posición del micrófono en la solapa de su traje y pronunció sus primeras palabras en un susurro ininteligible. Dijo algo más, sin embargo nada se oyó en el teatro. Muchos en la audiencia dieron un respingo, como si los asientos fueran ese día más incómodos que de costumbre. Luego sobrevino otro silencio, el más rotundo. Nadie se oía respirar ni hacía nada que pudiera de alguna manera alterar esa quietud total. Aun así las palabras de Borges tampoco llegaban. El viejo debía saberlo, pero seguía hablando como si todo marchara sobre ruedas. Sus acompañantes de la mesa miraban al frente, seguramente escuchaban al viejo, aunque pudiera ser también que el silencio los mantenía aterrorizados e inmóviles.

Al poco rato, un hombre vestido de mono verde apareció al otro lado de la gasa, al fondo del escenario. Se ayudó con una linterna a encontrar la tapa de un panel. Sin prisa fue quitando uno a uno los tornillos, luego se dedicó a hurgar entre un laberinto de cables. Ni una sola vez volteó a mirar a Borges, ni pareció preocuparle esa multitud paralizada por el silencio. Creo que casi todos seguimos por un rato los movimientos del hombre, pero pasaba el tiempo y el sonido no regresaba. Con un nudo en la garganta, lo dejamos hacer como si fuera un inocuo espectro de los que, se decía, frecuentaban *Dixon Hall*.

Tal vez Borges extrañaba la complicidad del público. De cuando en cuando enfatizaba su discurso con las manos, pero ningún sonido se mecía en el aire de *Dixon Hall*, ni buscaba las paredes y las butacas para coquetear con la madera, hacerla vibrar, penetrar en ella. Si algo le respondía era el silencio, ese mismo que se escapaba en algún momento entre la música más amada. Borges decía algo y nos quedaba el otro lado de su voz, lo que completa el espacio una vez que el ser humano ha dicho su verdad. De repente sentí unas lágrimas rodar por mis mejillas, una humedad igualmente callada y reverente.

Como todo instante robado a la eternidad, la intervención de Borges duró demasiado poco. Nos dimos cuenta que había terminado porque el viejo se recostó en su silla y sus acompañantes en la mesa empezaron a aplaudir. El hombre tras la gasa no se inmutó, parecía sordo a los eventos que ocurrían a su espalda. Un murmullo de alivio se fue extiendo por el teatro. Apenas el estupor nos permitió reaccionar, aplaudimos y algunos se levantaron a gritar "¡Bravo! ¡Bravo!" La mujer importante pidió calma con las manos y a gritos abrió la sesión preguntas. Nadie se atrevió a levantar la mano, ni siquiera yo que a esas alturas había olvidado otra razón para estar allí que no fuera Borges mismo, su conferencia imposible de relatar. No alcé la vista en busca del micrófono, no pensé si mis camaradas aguardaban esa primera pregunta, nuestro grito de batalla, la señal para echar a andar la aventura. Yo aún seguía conmovido por el silencio.

A los pocos minutos el viejo escritor se levantó y salió de escena. La gente se quedó de pie hasta que el seguidor perdió a Borges entre los telones. Luego regresaron las luces de la sala, haciendo desaparecer la figura del hombre tras la gasa. El teatro fue desalojado poco a poco, entre comentarios en voz baja y las primeras risas. Yo me limpié con las manos cualquier rastro de lágrimas y corrí a un café a encontrarme con mis compañeros. Ellos admitieron que ni siquiera en las filas más cercanas al escenario se podía escuchar una sola palabra. "Fue un fraude", se quejó uno de ellos. Yo no le respondí, aunque estaba dolido porque evidentemente mi camarada no había entendido nada. Luego me preguntaron mi opinión y salí del apuro con el argumento más sensato: no podía opinar de lo que no había oído. Ninguno preguntó por nuestro plan ni me hizo reclamo alguno. Quedamos de vernos otro día y cada cual se retiró a su casa con cierto alivio.

Mis fotos del evento quedaron bastante extrañas. Casi todas eran confusas, difíciles de ver. Eran retratos de un tumulto en un sitio imposible de identificar. Las he ido perdiendo con los años, pero todavía guardo al menos una de ellas. Para el individuo poco observador, en esa foto sólo hay muchas cabezas, manos levantadas y desorden. Pero quien se fije bien, verá entre un círculo que yo he trazado con marcador la

Madame Sessmá

Madame Sessmá tenía años sin saber de Cary Grant. Para peores, esa noche de noviembre no recordaba tampoco dónde había puesto aquel retrato firmado por el actor, y temió que a esas alturas la imagen estuviera muy deteriorada por los ácidos del tiempo. Es más: supuso que hasta el garabato de su nombre se había vuelto ilegible. El rostro de Cary Grant se le apareció reproducido en decenas de televisores, como un fantasma moderno que le sonreía desde el interior de la vitrina de un gran almacén. Era él, sin lugar a dudas, con esos lentes de montura gruesa que le iban tan bien, con esa vejez hermosa que Madame Sessmá admiraba con un dejo de envidia. ¿Dónde estaría aquella foto que tantos problemas le había traído? Porque Monsieur Sessmá, Bertrand, como prefería recordarlo, se puso muy celoso y le dijo que si por él fuera, hubiera dado fuego al retrato de Cary Grant con los mismos fósforos que estaba utilizando para encender su pipa. Eso fue en el año 38, el de su mayor felicidad, el más intenso de su vida. Había quedado de ir con Bertrand al cine, como cada semana de pago. Cary Grant estaba en París para el estreno de aquella película tan graciosa con Katharine Hepburn. Contaba la historia de un profesor distraído, un tigre, una millonaria sofisticada, enamoradísima pero independiente, y un esqueleto de dinosaurio que se venía abajo hasta quedar reducido a polvo. Madame Sessmá se llevó a Bertrand casi a rastras, pues él aseguraba que habría muchísima gente. No estaba dispuesto esperar en cola sin la certeza de hallar un buen asiento simplemente porque un actor americano enloquecía a París.

—Si me llevas, te cuento un secreto —coqueteó Madame Sessmá hasta derrumbar las resistencias de su esposo. Luego le ayudó con el abrigo, la bufanda y el sombrero, se le colgó del brazo y salieron bastante temprano al cine.

Sin embargo el caos era mayor de lo previsto. No más un vistazo para saber que sería imposible entrar. Bertrand quiso ir a otro cine, pero su esposa resistió tajantemente cualquier propuesta: iban a ver a Cary Grant, fuera en la pantalla o en carne y hueso. Se plantaron entre la multitud a esperar una eternidad, bien abrazados para darse calor y afecto. Cuando el actor bajó de una limusina y pasó saludando fueron separados por una fuerza que venía de todas partes. Bertrand apenas atinó a levantar los brazos para mantener el equilibrio, su mujer se llevó una mano al vientre. Por unos minutos estuvieron perdidos entre el desorden. Madame Sessmá, sin dar un paso a voluntad se fue acercando Cary Grant y como por instinto trató de alcanzarlo, gritó su nombre, buscó sus ojos. El actor parecía estar tan cerca, no más otro avance de la oleada de gente y podría guardar en el recuerdo que sus dedos habían tocado al ídolo, quien de tan humano se estaba muriendo de miedo. No obstante, a su alrededor se había formado una barrera de hombres para que nadie se acercara demasiado. Le ordenaron a Grant seguir al interior del cine mientras sacaban de sus abrigos fotos y las lanzaban a los fanáticos. Madame Sessmá atrapó una, la sostuvo en su mano, pero siguió buscando algún contacto con el actor. Él, como todo un caballero, hizo un breve gesto para despedirse de su público, y en ese momento le pareció a Madame Sessmá que sus ojos y sus sonrisas se cruzaron.

Casi cincuenta años más tarde, Madame Sessmá le sostuvo la mirada a Cary Grant hasta que éste desapareció de las pantallas y otro rostro conocido, el del conductor del noticiero, tomó su lugar y dijo algo imposible de oír desde la calle. La anciana verificó la hora en su relojito de pulsera como si no supiera que faltaba muchísimo para la edición estelar de noticias. Apenas las cinco, pero París ya estaba a oscuras, con un frío que calaba, un viento que detestaba a pesar de tantos otoños. ¿Dónde estaría la foto? Lógicamente, una señora de su edad debería ir buscando el camino a casa. Más tarde repasaría su ordenado y pequeñísimo apartamento de arriba a abajo hasta encontrar el retrato, un proyecto pueril de vieja solitaria, ideal para matar una noche más. Sin embargo, quizás el extraño ya había llegado y ella no tenía ganas de verlo. No, era algo peor: temía verlo.

Entró a una pastelería, ordenó un café, dos *croissants au chocolat*, dos galletas grandes de avena, dos panecillos con pasas. Le dio indicaciones al dependiente para que pusiera la comida en una bolsa de papel. Luego recogió el tazón y fue a sentarse junto a la ventana. Afuera, la gente se protegía del viento, de las gotas de lluvia mezclada con hielo. Recordó haber notado que el extraño tenía las orejas quemadas y los labios agrietados. Lo vio salir del departamento con un solo guante, la otra mano envuelta en pañuelos de hilo, escondida en el bolsillo de una gastada chaqueta. No debería temerle, pero así era. Ella le temía hasta a la muerte, a pesar de esperarla día a día. No le importaba tanto marcharse como el sufrimiento, o la durísima posibilidad de morirse completamente sola. La muerte. Quizás el extraño era su portador, aunque aparentara tanto abandono. Era un muchacho flaco, consumido por el descuido, que no hablaba más de tres oraciones en francés, que se pasaba tiritando al lado de la calefacción. El extraño, *le costaricien* que dormía en su casa y supuestamente iba a marcharse en dos días. Venía del país donde su hijo se había radicado finalmente. Su único nieto le había entregado al extraño una carta para ella, en la que saludaba apresuradamente, le daba el nombre impronunciable del portador, pedía alojarlo pero sin darle mayores referencias. Algún otro inquilino de su edificio debió dejarlo entrar porque *le costaricien* había esperado horas junto a la puerta de Madame Sessmá. Cuando ella subió esa noche en el elevador, lo halló tan desvalido que se confundió. Aún así se quedó mirándolo por entre las puertas de acordeón y apretó el botón del siguiente piso. Mientras ascendía lentamente, el extraño saltó hacia la escalera llamándola por su nombre, agitando la carta que para entonces estaba sucia y arrugada. Luego se detuvo, muriéndose por el esfuerzo de subir las gradas de dos en dos. Empezó a disculparse en español, o al menos eso quiso creer Madame Sessmá. ¿Cómo podría hacerle daño alguien así? ¿Pero quién sabía sus intenciones? ¿Andaría en problemas? ¿Llegaba la muerte de un país tan remoto como Costa Rica? El extraño apenas pudo darse a entender: *Je suis costaricien. Bertrand... mon ami.* Seguidamente bajó haciendo reverencias hasta llegar al primer piso.

Cuando Madame Sessmá escuchó el golpe de la entrada principal, volvió a su apartamento. La carta estaba junto a la puerta. El extraño parecía estar seguro de que iba a regresar porque también había dejado su equipaje. Esa noche, por primera vez en meses, Madame Sessmá habló a Costa Rica. Su hijo negó saber algo de ese viaje y esa carta, incluso le confesó que su muchacho —el tercer Bertrand en la línea de descendencia— se había vuelto un desconocido. Sin embargo, *le costaricien* le resultaba familiar, un amigo del muchacho, sin lugar a dudas. No, no podía darle un consejo a su madre. A fin de cuentas era ella quien debía decidir si lo acogía o no. Por supuesto, le pediría al joven Bertrand que la llamara, si acaso lo veía... Colgó el teléfono muy confundida. "Vieja tonta", pensó al cabo de un rato, " sigues con miedo a morir. Quizás tu propio nieto te mandó un mensajero, deberías estar más bien agradecida". Entonces bajó a la primera planta. Encontró a *le costaricien* azulado de frío, tan flaco que daba pena. "La muerte viene en los empaques más curiosos", pensó Madame Sessmá mientras le hablaba al visitante sobre las reglas de la su casa. Se detuvo abruptamente cuando se dio cuenta de que el extraño no había entendido una palabra. Por señas lo invitó a pasar. "Luego discutiremos reglas", le dijo como para no dar el brazo a torcer.

Pero el miedo no la había dejado en paz. Soñó, quizás dormida, quizás despierta, que *le costaricien* se aventuraba en su cuarto, acechando entre las sombras. De repente se metía en su cama, se le venía encima y la ahogaba, aunque dulcemente. "Vieja cochina", pensó mientras sorbía café. Se dijo que tal vez exageraba, y como en otras situaciones difíciles imaginó qué hubiera hecho su esposo. Cerró los ojos, hizo su pregunta al infinito, pero fue inútil: probablemente Bertrand se hubiera puesto celoso. Hubiera refunfuñado toda la noche, caminando insomne de un lado al otro del pequeño apartamento que habían comprado antes de casarse.

—Ya basta, vente a dormir —dijo Madame Sessmá con los ojos cerrados, sus manos firmes sosteniendo el tazón de café—. Ven a la cama, te prometí un secreto.

—Estás enamorada de Cary Grant, ¿cómo es posible? —pudo haber respondido él, sin asomo alguno de la serenidad que tanto necesitaba su viuda.

—Eres un niño, por eso te quiero.

—¡Ahora, a tu edad, dejas entrar a la casa a un perfecto desconocido!

—Vamos a tener un hijo.

—No me hables de otra cosa —interrumpió desde una confusión de tiempo y lugar—. Explícame de Cary Grant y *le costaricien*.

—Un hijo, Bertrand.

Aquella noche de 1938, Monsieur Sessmá necesitó unos minutos para caer en cuenta de lo que su esposa había dicho. Como todo muchacho desarmado, abrió los ojos, se miró las manos enormes y torpes, se vio a sí mismo y luego redescubrió el tamaño del mundo: las estrechas paredes tapizadas con flores, el radio imponente, los pocos muebles. Madame Sessmá, desde el dormitorio, lo vio girar con los brazos abiertos, más desconcertado que feliz. Aguardó a que las novedades se asentaran en el corazón de Bertrand y aprendió de ello: En situaciones como éstas no queda sino ser paciente, dejar palpitar al corazón y esperar.

Madame Sessmá se arropó lo más que pudo antes de salir de nuevo al frío de ese invierno adelantado. París ya estaba lista para las navidades, con luces blancas por doquier y esa inquietud que siempre trae la llegada de diciembre. Pocas veces las personas se ven tan apuradas, con las manos llenas de presentes, la boca repleta de mentiras piadosas, pues otro año se viene encima y esta vez sí, al fin se materializarán los sueños. París había cambiado tanto desde aquella visita de Cary Grant. No era para menos, pues había sobrevivido al fin del mundo.

—Una guerra mata en muchos sentidos –le había dicho Bertrand la última noche que hicieron el amor—, pero también enseña y fortalece.

La enseñanza más dura, sin embargo, vino de la ausencia, aquélla que empezó cuando su esposo se marchó a pelear contra los nazis, y de él no volvió sino una carta y una banderita chamuscada a modo de prueba y epitafio. Quedaron las fotos, aunque jamás se retrató como soldado porque no quería que su hijo lo viera en la vestimenta de quienes tarde o temprano mueren o tienen que matar.

—No hay gloria en la guerra –escribió en alguna ocasión—, tampoco heroísmo. Al menos para nosotros, los anónimos.

Madame Sessmá se detuvo frente a otro almacén. Nuevamente Cary Grant aparecía en pantalla, esta vez hablando frente a un auditorio. ¿Estaría de vuelta en París, así viejo y hermoso? Había leído que últimamente se dedicaba a impartir charlas, seguramente sobre sus experiencias de vida. Los viejos sólo de eso pueden hablar: Lo que fue, lo que no pudo ser y la suma de ambos. Hubiera sido lindo que Bertrand estuviera con ella en ese momento y recordara sus celos. Pero él se quedó en la época feliz de las promesas, en los te quiero, te deseo tanto, cuando vuelva haremos del niño un hombre de bien... Madame Sessmá no tuvo otra opción sino creer, abrazarse a las promesas y consolar así su miedo. El niño no debía enterarse de su debilidad, él debía crecer como si el espanto de la guerra fuera simplemente el viento de otoño que trajo a sus manos la banderita chamuscada. Le explicó que papá no iba a regresar, se había convertido en árbol para esconderse de los nazis y proteger a los inocentes. Entonces el pequeño Bertrand empezó a jugar con sus soldaditos de plomo y unos arbolitos de cartón. Al final de cada batalla, en la imaginación del niño y en el suelo del apartamento quedaba un profundo bosque. Así supo Madame Sessmá que el niño había entendido el significado de la guerra. Y tal vez por ese mismo conocimiento, su hijo había terminado en Costa Rica, donde no había ejército y los árboles no eran cuerpos abandonados en los campos. Quizás, aunque su esposa era *une costaricienne* y él le hubiera dicho en una carta que se había marchado por odio, porque la imagen difusa de su padre lo asaltaba en todas las esquinas, y no halló paz ni en las historias de heroísmo que le contaban en la escuela, ni con los muchachos descarriados que le aceptaron tal cual era.

En la televisión dieron varios cortos de películas con Cary Grant. Madame Sessmá las reconoció todas, en especial aquella con Grace Kelly, sobre un héroe de la Resistencia que luego vivía como un rey en la Riviera. Se debía ver patética con la nariz pegada al vidrio helado, como para no perderse un detalle de las imágenes y los recuerdos. Esa película con Grace Kelly fue estrenada el año mismo año que su hijo Bertrand se marchó de casa, furioso por el hombre que ella había encontrado, o que más bien había llegado a buscarla. Su hijo tenía 17 años; Hugo 25, como *le costaricien*. Ella se sentía de casi cien años, encerrados en un cuerpo todavía firme pero sometido a las normas de la viudez. Para entonces, Madame Sessmá había progresado en un negocio que se le ocurrió durante la guerra. Era una tiendecita en un barrio popular de París. En un principio vendía ropa de segunda, pero pronto se dio cuenta que sus clientes –todos ancianos– estaban dispuestos a pagar un poco más por mejores prendas, siempre y cuando representaran de alguna manera sus gustos, la moda a la que estaban acostumbrados. El mundo dentro de su tienda avanzaba con rezago, pues los estilos de los treintas todavía eran apetecidos en la pos-guerra, y para cuando conoció a Hugo aún tenía clientes traumatizados por la ocupación, que buscaban en los estantes lo más austero, las telas más fuertes, los colores oscuros y opacos, para pasar desapercibidos y a la vez mostrar luto, como si lo peor pudiera regresar.

Seguramente Hugo necesitaba dinero además de amor. Era uno de los pocos jóvenes a quienes abría la puerta de la tienda, asegurada con varios pasadores para evitar los asaltos. Las grandes vitrinas, apedreadas más de una vez por los bribones del barrio, estaban cubiertas por láminas de madera. En apariencia, aquel edificio estaba clausurado, pero los clientes sabían que había que asomarse por entre la madera para ver la vitrina deliciosamente decorada y tocar el timbre para que Madame Sessmá en persona les abriera. Hugo trabajaba para alguno de los sastres que proveía a Madame Sessmá. Tenía la piel color aceituna y una risa demasiado fácil y sonora como para resistirse. De repente la acariciaba como sin querer o le besaba la punta de los dedos cuando recibía propias. Madame Sessmá supo pronto que aquel muchacho le atraía y que los ritos de seducción debían abreviarse. Empezaron a amarse entre las ropas de la tienda, a veces con el corazón intranquilo, o con la excitación de que alguien llamara a la puerta. Al principio él era torpe, más sangre que pasión, más sorpresa por tener a esa mujer en los brazos que dedicación a los detalles del gozo. Para Madame Sessmá, sin embargo, eran suficiente el sabor de la piel de Hugo y su docilidad para dejarse hacer y aprender. Pero conforme se frecuentaban más y más, Hugo fue aprendiendo a dominar su urgencia, a entender las demandas de la joven viuda, a identificar lugares y ritmos del cuerpo. Madame Sessmá pensaba que además sabía guardar secretos, y que esa relación sin futuro era un detalle privado, protegido por la penumbra de la tienda y por el dinero que le daba a Hugo para que estuviera contento.

Un día Hugo llegó cargado de trajes. Los estaba poniendo en los lugares de siempre cuando Madame Sessmá se le colgó de la espalda y empezó a besarlo. Sin darse cuenta ya estaban en el suelo. La joven viuda había desabrochado los pantalones del joven, y exploraba con especial avidez su cintura, la breve cueva de su ombligo, la espesura en ascenso de su pubis. Pronto estuvieron desnudos, alejados del mundo. No escucharon los golpes en la puerta, o no les importó. Ese día, el amor les afinó los sentidos, pero nada más para gozarse el uno al otro.

Al cabo de un rato Hugo salió. Desde la otra acera un muchacho lo estaba mirando, pero Hugo no se percató, preocupado en inventar la excusa que daría a sus patrones por la tardanza. Dobló la esquina, y nunca supo que lo siguieron unas cuadras, ni que estuvo a punto de ser alcanzado, ni que el muchacho que le perseguía no tuvo certeza de sus actos hasta que paró en seco su marcha, dejó pasar unos segundos, y volvió sobre sus pasos hasta la tienda de su madre. Pensó gritarle desde la calle, pero su garganta se agarrotó de dolor y furia. Tomó un pedazo de ladrillo y lo arrojó a la vitrina protegida por la madera. Luego empezó a golpear la puerta con los puños, incapaz de oír a su madre que le rogaba marcharse y amenazaba con llamar a la policía.

—¡Eres una puta! –dijo finalmente, pero apenas fue un susurro contra la sólida madera—. Te he esperado nada más para estar seguro de tu traición.

Madame Sessmá entreabrió la puerta. Sus ojos brillaban como nunca lo había percibido Bertrand.

—¿Entonces lo viste?—preguntó—. ¿A Hugo?

Bertrand salió corriendo, no quería que su madre lo viera llorar. Ella pensó que el muchacho necesitaba tiempo, al final comprendería pues no hay soledad que pueda resistirse hasta el fin de los tiempos. Sin embargo, Bertrand empezó a marcharse desde esa misma tarde. La joven viuda lo fue notando en la dimensión de sus silencios, en la resistencia a saber más de Hugo, o más aún en esa ausencia que van sembrando a su paso los solitarios. Tiempo después, cuando su hijo se marchó sin siquiera prevenirla, Madame Sessmá no se sintió sorprendida. Lloró mucho, tanto por su hijo como por Hugo, a quien había dejado de ver. Esperó con paciencia una carta, mientras seguía buscando ropa para ancianos por los barrios de París. Bertrand tardó en escribirle, quizás aguardando tener algo de paz. Había viajado al sur, donde trabajaba y estudiaba, donde finalmente encontró a *une costaricienne*, con quien cruzó el mar y estaba por tener un hijo. Eso fue cuando las películas de Cary Grant ya no eran lo mismo. Para entonces había otros artistas más guapos, más modernos, un Marlon Brando o un Paul Newman. Eran otras épocas, pero Madame Sessmá seguía prefiriendo a su héroe de toda la vida.

Ahora reaparecía, como lo hicieron la voz de su hijo, la letra menuda de su nieto y el recuerdo −definitivamente fosilizado− del bello Hugo. Y todo por *le costaricien* y por esa imagen de Cary Grant que iba marcando su paso de vuelta a casa. Y repentinamente el cuerpo también le empezó a arder. Con un otoño tan frío, esa ansiedad no era más que un ridículo. Pero, ¿cómo negarla? Se fue siguiendo una oleada de gente, silenciosa entre el ruido, como para cansarse y permitirle a la noche reparar heridas. Sin embargo llegó a su apartamento aún con la angustia. El extraño, como había supuesto, estaba encerrado en el cuarto que guardaba para su nieto Bertrand. La habitación estaba decorada con mapas de Francia y de Costa Rica, con fotos del abuelo, con algunos afiches de cantantes que supuestamente estaban de moda. Todo por si acaso Bertrand volvía, aunque se dedicara días enteros a maravillarse de

París y a ella no le concediera más que unos minutos, quizás algunos reclamos. Lo alimentaría, le lavaría la ropa, le daría regalos. Estaba preparada para que su nieto volviera, como también lo estaba para no ver nunca más a su hijo. Dejó las compras en la cocina, sin ánimos de preparar más café y de sentarse en silencio con *le costaricien*, al fin y al cabo no tenían nada en común, ni siquiera el nexo de una deuda. Agotada por el remolino de pensamientos, Madame Sessmá fue a la salita de recibo y encendió el televisor. Daban algún programa que no llegó a comprender, aunque los personajes le resultaban familiares e incluso podía identificar la ciudad donde ocurría la historia: Nueva York. Jamás había estado allí, pero sabía que ése era el lugar y que aquellos hombres y mujeres eran policías. Pronto vino un corte comercial, incluyendo un nuevo avance de las noticias. Madame Sessmá procuró vencer la neblina que se le había instalado en la cabeza. Sí, ahí estaba Cary Grant, tan bello, un anciano tan perfecto, el hombre que necesitaba a su lado en ese momento. La voz del presentador anunció brevemente la muerte del actor, ocurrida esa mañana, a sus ochenta y dos años de edad. Un detallado recuento de su vida sería presentado en la próxima edición de noticias. Madame Sessmá dejó de escuchar el mundo a su alrededor. No se enteró, por ejemplo, que la noticia principal era la hora de frío que recrudecería esa noche. Tampoco sintió a *le costaricien*, quien desde el umbral de la puerta miraba también la televisión.

—Madame Sessmá –dijo el extraño—. *Triste.*

Ella volvió a sentir miedo, pero esta vez era distinto. Temía saberse tan desnuda, con el corazón tan en la mano, al punto que ese joven sin destino ni nombre lo había adivinado. Le hizo un gesto para que se sentara junto a ella. Luego empezó a hablar. El extraño le miraba como si entendiera. Pronto, él también dijo algunas cosas. Sonrío incluso. Madame Sessmá trataba de explicar su confusión, el duelo que la muerte de Cary Grant le había traído, pero el imbécil *costaricien* sonreía y

55

aprobaba. De repente, el joven fue a su cuarto y trajo una pila de fotografías. Le fue contando a Madame Sessmá algo que ella solamente podía intuir. Quizás eran fotos de su familia y amigos, quizás aquellos paisajes eran de Costa Rica, el maldito país donde su hijo y su nieto la habían olvidado. Ella volvió a hablar. Le dijo una locura: que lo deseaba. El extraño quizás entendió. Fuera como fuera, su respuesta fue otra cosa: se alejó un poco, empezó a actuar su relato. Ahora tomaba un avión, luego dormía, después le daba un abrazo a alguien. Pero Madame Sessmá no quería historias. Se levantó, detuvo al extraño, le dio un abrazo y un beso tímido en el cuello, otro en la barbilla, luego le rozó los labios. El extraño puso las manos en los hombros de la anciana. Con mucha delicadeza se fue separando de ella hasta quedar a unos pasos de distancia.

—Madame Sessmá –dijo con el mismo tono distante de su hijo y su nieto.

Ella recuperó un poco el aliento. Sin darse tiempo a entender lo que pasaba le gritó al extraño que debía marcharse. *Le costaricien* no reaccionó, tal vez ni siquiera había entendido. Entonces, Madame Sessmá cruzó el pasillo y abrió la puerta del apartamento. Un gesto fue suficiente para indicarle al extraño que se fuera. Algo dijo él, pero la anciana lo detuvo con un torrente de reclamos inútiles, de insultos que no lo conmovían porque ni siquiera comprendía que estaba siendo insultado.

La anciana esperó hasta que el extraño recogiera sus cosas, bajara por el ascensor y cerrara la puerta principal. Después se dejó caer frente al televisor. Las imágenes se sucedían en el vacío, pues Madame Sessmá miraba más allá, hacia un punto donde convergían dolor y miedo. Fue perdiendo la noción del tiempo, marchitándose sin certeza de la hora, ni del hambre, ni de los sueños...

En algún momento sonó el teléfono. Madame Sessmá se arrastró hasta el aparato. En su delirio había pensado que Bertrand llamaba para preguntar por ella, anunciar su inminente llegada... No, no estaba en camino, él ya había llegado y le hablaba desde la portería de la primera planta... Pero era una de sus clientas, preocupada porque nadie había respondido en la tienda en dos días. Madame Sessmá dijo en un hilo de voz que estaba bien, un tanto cansada nada más. Seguidamente le agradeció el interés y por cambiar de tema preguntó si algo había pasado en el mundo en esos días.

Su clienta meditó la respuesta. Cary Grant había fallecido, pero la noticia le pareció carente de importancia. Hubo otra, sin embargo, que en su momento le hizo pensar en Madame Sessmá: un joven costarricense había sido víctima de las bajas temperaturas de la madrugada; se había helado entre la basura de un callejón. Muy triste suceso, pero era típico de la época, especialmente entre vagabundos e inmigrantes pobres. La clienta creyó que sería de mal gusto mencionar ese evento.

—¿Ha pasado algo?– repitió como un lamento Madame Sessmá. Entonces la clienta se aclaró la voz y en tono casual dijo:

—No, nada.

New Orleans, 2000-enero 2004

57

Retrato hablado

No lo vi sino en el momento en que tomó por asalto la única mesa vacía del café. Yo acababa de sentarme también, aunque mi lugar era bastante malo: en medio del pasillo, a espaldas de la puerta. Cada vez que alguien la abría entraba a golpearme una corriente de aire y yo me aferraba a mi capuchino mientras maldecía en voz baja. Afuera, Nueva York seguía sucia tras las últimas nevadas. Por todos lados reposaban grandes trozos de frío sin derretir. Agua dura, pisoteada y ennegrecida, resistía inútilmente la prisa incesante. Durante toda la tarde había querido escribir un poema sobre esta ciudad que siempre me horrorizaba y me obligaba a volver. Había caminado en busca de un lugar mágico, uno de esos espacios desconocidos que de pronto se quedan con vos para siempre. Al cabo de las horas tenía los labios resecos, la nariz insensible y una carga de ropa que mi cuerpo no terminaba de soportar. Soñaba en latinoamericano que un buen café curaría todos mis males y me permitiría abrir un paréntesis en el frenesí de ese cúmulo de materiales y almas, que no podía quedarse quieto ni aun cuando las temperaturas se habían desplomado y otra tormenta se anunciaba en los noticiarios vespertinos.

Yo había entrado al café siguiendo a una corriente de personas. Casi todos se acercaban al mostrador, ordenaban sus bebidas para llevar y desaparecían. Cuando fue mi turno, aún no me había decidido y en cierto modo me delaté:

Solamente un forastero podía darse el lujo de hacerles perder el tiempo a los empleados, probablemente estudiantes de ciencias sociales, filosofía o cine, grandes nombres del mañana que debían tener paciencia porque el extraño requería unos segundos para pensar, aunque detrás la fila de clientes creciera y perdiera también los estribos. Creo haber dicho que finalmente me senté en mal lugar. Más que una mesita, era un tablero de ajedrez de forma circular, sostenido por un pie central. Alguien se había llevado una de las sillas. Sin ella el tablero se veía enorme, desolado, como si nunca pudiera tener ante mí a un contendiente.

Las personas iban y venían, abrían la puerta, yo me helaba. Di un vistazo al área frente a mí, un paraíso inaccesible, formado por mesitas cuadradas, con sillas comunes y corrientes. Una mujer leía el periódico, dos hombres se reían quedamente y miraban con distancia el movimiento alrededor. Un grupo de hispanos procuraba acomodarse entre bolsas de grandes almacenes. Sentí otra vez el impulso de escribir un poema. Garabateé algunas líneas, pero finalmente hice un bodoque con lo escrito y me dediqué al ocio, otra de mis culpas más placenteras. Segundos o siglos después, los hispanos empezaron el rito de marcharse. Las instrucciones que se daban unos a otros demoraban aún más la de por sí lenta preparación para salir al frío. Primero había que ponerse la chaqueta acolchada, cerrar innumerables botones, subir los zippers. Venía después la bufanda, ajustada al cuello pero sin apretarlo. Para lograr que la bufanda quedara bien puesta era necesario desabrocharse el abrigo y empezar de nuevo. Seguían las orejeras, la gorra de lana y el sombrero. Por último, los guantes. Ya listos para marcharse, verificado que todo estuviera a punto, recogieron las bolsas y empezaron a caminar entre las mesas como astronautas sobre la superficie lunar. "Excuse me", decían con acento inconfundible, "excuse me", repetían y la gente les abría paso sin mirarles a los ojos ni abandonar su soledad.

En ese momento un rostro feroz cruzó ante mí. Le dijo algo al último de los hispanos, pero quizás éste no le comprendió. El muchacho volvió a hablar, esta vez señalando la mesa poblada aún por restos de merienda. El latino rezagado trató de pedir ayuda a sus compañeros, pero la mirada del muchacho de rostro feroz no le dio oportunidad alguna. Alegó en español y en inglés titubeante, puso sus bolsas a un lado y se dispuso a recoger los vasitos de cartón y a limpiar la mesa con una servilleta. Inmediatamente, el muchacho fue tomando posesión del lugar: dejó su mochila en una silla; su abrigo, guantes y bufanda, en otra; hizo una limpieza final y se sentó. Era alto y negro, de ojos claros y cabello salvaje. Tenía el rostro afilado y unas manos largas, que empezaron a sacar útiles de la mochila: un bloque de hojas, lápices y plumas, una revista o más bien un catálogo de ropa. Con gran delicadeza fue disponiendo cada cosa dentro de los límites de su territorio, luego se olvidó del mundo, o al menos eso creí.

Supuse que estudiaba diseño. Con la mano izquierda mantenía el catálogo abierto; con la derecha, daba trazos largos, se detenía en detalles, creaba formas que yo no podía mirar. Decidí que estaba matriculado en Pratts y que era asiduo del MoMA. Cinco tardes por semana servía copas en un bar, iba al gimnasio casi a diario y leía novelas de terror, tan populares desde setiembre del 2001. Viviría en Brooklyn, a la vuelta del instituto, o mejor en el Lower East Side, que está cerca de Soho y el Village, no era tan *artsy* pero la renta resultaba más razonable. Su apartamento estaría en un edificio construido en el siglo diecinueve. Minúsculo, atestado de cosas, con afiches hasta el cielo raso, tendría algún detalle chic. Dormiría solo cuando no hubiera más remedio, en una cama eternamente desordenada. Comería a deshoras, usualmente más vegetales que carne y más pasta que vegetales. Tomaría café para vencer el sueño y vino para recuperarlo. Se sentiría el dueño del mundo. Lo demás no era sino aguardar fortuna.

De cuando en vez levantaba la cabeza, miraba sin ver, no se percataba siquiera de mi impertinencia, aunque yo seguía cada movimiento suyo con descaro. Podía meterme en apuros, ¿pero cuántas veces te encontrás un maravilloso rostro salvaje? Ni siquiera abundan en una ciudad de posibilidades ilimitadas como Nueva York. El muchacho estudió con satisfacción el dibujo, retocó algún detalle, luego arrancó la hoja e hizo un bodoque perfecto, que puso en la esquina derecha de la mesa. Preparó una nueva hoja acariciándola con su mano, y ahora sí oteó el ambiente. Por un segundo pareció fijar sus ojos en mí, aunque más bien prestaba atención a algo situado un poco más lejos, por encima de mi hombro. Me volví como para observar el frío que iba y venía sin consideración alguna, que me golpeaba la espalda y me recordaba que en Nueva York yo era un solitario más. Entonces descubrí a la muchacha que intentaba abrigarse con un leve traje de invierno. Tenía el rostro ajado, como si hubiera dormido poco. A sus pies, una valija no muy grande develaba un viaje. La chica se fue quitando sus trapos, sacó un teléfono celular de su cartera e hizo algunas llamadas.

–Hey, Mike –dijo la primera vez –, te esperé una hora en el aeropuerto, y desde entonces no he dejado de buscarte. He llegado al café de Union Square, pero tampoco estás aquí... me prometiste que vendrías a recogerme, Mike, ¿se te olvidó? Hazme saber cuando oigas este mensaje y ven para acá... y trae el abrigo negro, ¿sí? Te quiero, te quiero más.

Aguardó unos minutos, quizás con la esperanza de que Mike estuviera en casa y simplemente no hubiera podido alcanzar el teléfono a tiempo. Pero Mike no llamó, ni hubo mesa disponible en el café sino hasta rato después. Entonces la muchacha se dedicó a buscar amigos. A todos les preguntó por Mike, si lo habían visto, si estaría bien... Sí, un viaje muy largo –explicó– pero ya estaba de vuelta... No, ningún problema con el aterrizaje... ¿Sabes de Mike? No quería ni siquiera pensar que le hubiera fallado de nuevo... Esta vez era peor porque no tenía llave del apartamento... Había salido abruptamente a casa de Kelan en D.C... Siempre huía hacia los mismos brazos... Mi vida privada no es tema de discusión, lo siento, he cometido un error al hacer comentarios de Mike, por favor perdona la molestia...

El dibujante de fiero rostro había regresado a trabajar. Inspirado en la recién llegada, supuse, deslizaba el lápiz frenéticamente por el papel. Los movimientos parecían automáticos, como siguiendo un dictado. Ya no lanzaba líneas delicadas, más bien dibujaba con ansiedad, acaso para no perder la esencia de la escena. Hoja tras hoja el catálogo de ropa se fue cerrando, y podría jurar que se movió hacia la esquina donde yacía olvidado el bodoque con el primer boceto.

La muchacha dejó tres recados más para Mike. Después conversó con un tal Rob. Parecía insegura, incómoda, aunque Rob no le pidió explicaciones. Brevemente, ella le dijo que no podía entrar a su apartamento y que quizás necesitaría un lugar donde dormir. Le agradeció mucho a Rob: "eres un verdadero amigo", dijo disimulando la angustia. Después le dio las señas del café y quedaron de verse en diez minutos.

Casi de inmediato, quedó una mesa desocupada frente al muchacho de rostro indómito. La chica tomó el lugar, fue por una bebida y al rato llegó quien debía ser Rob. Estaba un poco agitado por la prisa y traía una bolsa de papel. Se dieron un beso en la mejilla y conversaron. Ella parecía a punto de llorar, entonces Rob tomó su mano y la sostuvo de modo significativo hasta que la muchacha se liberó con una sacudida rápida pero poco firme. En algún momento la chica sacó su teléfono. Rob le permitió que verificara los mensajes, pero no aprobó que hiciera nuevas llamadas. De todas maneras, las llamadas fueron cortas y más bien deprimieron a la muchacha. En ese momento Rob sacó una caja de la bolsa y la puso frente a la chica. Ella dudó, dijo muchas cosas, pero Rob no le aceptó las excusas. Empujó la caja hacia ella, pidiéndole que deshiciera el lazo y mirara el contenido. Había una orquídea

63

adentro. La muchacha, en un gesto muy típico, la miró con desconfianza, la sostuvo ante sus ojos, estuvo a punto de llevársela al corazón. Como ella, yo también hubiera hablado mucho ante tal regalo. Me hubiera gustado que inventaran una historia para mí, pues lo peor sería saber que Rob guardaba la orquídea en la nevera y que malévolamente la había aprovechado para vencer la resistencia de la muchacha. No, Rob, decime más bien que colgaste el teléfono, te hiciste de un abrigo sin cuidado alguno y corriste a la calle, pues solamente tenías unos minutos para encontrar algo bello y llegar al café a tiempo, sin levantar sospechas. Mentí que te dio frío, que resbalaste y no te diste cuenta ni de los agresivos autos ni de la gente. En una esquina había un puesto de flores, atrás una tiendita en la que atronaban canciones norteñas. Le preguntaste a la dependienta y ella fue hasta el fondo a buscar la flor más cara, una orquídea no muy grande, de un delicado color lavanda. La mujer trajo la flor entre sus dos manos, igual que una ofrenda. Vos no entendías nada, Rob, pero te imaginaste que la música norteña era ideal para acompañar el desfile de tan hermoso objeto. La canción te recordó vagamente unas tonadillas germánicas que un viejo amor solía poner a todo dar en tu estéreo, por eso le preguntaste a la dependienta el significado de la letra. "Habla sobre la pisca de la fresa en el Sur", explicó, "sobre esa gente que deambula como gitanos por el Cinturón Bíblico, y no sabe leer ni escribir, ni en español ni en inglés". La realidad no tenía ningún derecho a echarte a perder la velada, Rob. Reaccionaste dando una disculpa, pero la mujer siguió impasible, escudriñando en tus ojos el motivo para comprar una flor tan particular en esa noche de invierno. "¿Usted está enamorado?", te preguntó. Vos saliste al frío sin contestar, con la orquídea oculta en una bolsa de papel, sacudiéndote de la cabeza el error de hablar demasiado con *hispanics*. Lo importante era la flor, esa misma que ahora la chica acariciaba con detenimiento.

Cuando la muchacha y Rob se levantaron, apenas podían disimular las sonrisas. Se ayudaron mutuamente con los abrigos y salieron muy juntos, aunque en ningún momento se rozaron siquiera las manos. Al pasar junto a mí, ella describía algo que había visto en un museo de Washington y Rob se hacía cargo de la maleta. Había transcurrido una eternidad y yo ni siquiera me había percatado. Para entonces mi capuchino estaba helado. Otros clientes se habían ido del café, así que alrededor del muchacho de rostro indómito quedaban algunas mesas vacías. Lo vi dar los últimos trazos frenéticos, después derrumbarse sobre su proyecto. Dejó el lápiz disciplinadamente a la derecha del bloque de hojas, deshizo el bodoque que estaba en la esquina, lo miró, puso algo de color aquí y allá, hizo de nuevo una pelotita de papel. Parecía satisfecho... no: exultante. Estaba tan seguro de sí mismo y de su buena estrella, que dejó la mesa como al descuido y fue al baño sin voltear siquiera una vez. Claro, yo estaba allí, vigilando, pero él no tenía por qué saberlo. Tampoco debía enterarse de la oportunidad que me estaba tendiendo. El muchacho de rostro salvaje regresaría en un par de minutos, suficientes para ir hasta su mesa y hojear el bloque de dibujos.

Al acercarme, hallé el boceto de un cómic en el que una chica dejaba Nueva York, pero antes de marcharse se reunía con su amante en un cafecito de la ciudad. En su conversación no había reclamos, pero sí torrentes de lágrimas a lo Lichtenstein. En algún momento, el amante le regalaba una orquídea que había robado. Gracias a la revelación del personaje –y por anotaciones al margen– me enteré que unos *hispanics* lo andaban buscando para cobrar la deuda con una paliza. El conflicto empezaba a girar en torno a la flor, al miedo de la muchacha y su urgencia por tomar el tren. Cuadro a cuadro, los dibujos iban perdiendo precisión hasta convertirse en meros esbozos. A la vez eran más y más las frases sueltas, los diálogos apenas sugeridos, las preguntas sobre los acontecimientos por venir. Entonces sentí una urgencia, una certeza que ardió a la altura de mi pecho: el muchacho y yo podríamos recorrer esa ciudad toda la noche, hasta convertir la otra ciudad –aquélla que aguardaba la próxima tormenta invernal– en un maravilloso mundo de grafito y papel. Lo supe a tal punto que olvidé a Rob y a la muchacha, para seguir por esas calles de cómic a la pareja de novios desesperados por la separación, la amenaza y sus propios prejuicios. Yo estaba tan cercano e inmerso en sus vidas que dejé correr libremente al tiempo. En vez de escuchar el regreso del muchacho, busqué hasta el final más pistas sobre el destino de los novios. Acabé el bloque de hojas, miré velozmente el catálogo de ropa. Luego advertí el bodoque como olvidado en la esquina derecha. Sin dudar un instante, lo deshice y encontré una historia anterior a la de la pareja que huía en la noche. Cuando distaban apenas un par de pasos entre el muchacho y yo, del papel arrugado surgió el dibujo de un hombre sentado ante una mesita circular estrecha y parecida a un tablero de ajedrez. El modelo enfrentaba con tal descaro al espectador, que a mí mismo me provocó un cosquilleo en el cuerpo. A su alrededor había frases sueltas, ideas secretas. Y estando así, con la mirada fija en mí mismo, oí un susurro sobre mi hombro, una voz dulce y fiera que me preguntó si podía ayudarle a encontrar el final de esta historia.

New York, diciembre 2002-New Orleans, julio 2003

Arriba, abajo, al lado

Veníamos huyendo de quienes querían salvarnos. Mi amigo y yo, casi en completo silencio, pues él era devoto cristiano y le resultaba difícil aceptar tal acoso en nombre de Dios. Como en otras persecuciones yo mascullaba algún reclamo: *fanáticos, intolerantes, hipócritas*. Claro, estaba siendo injusto porque nuestros perseguidores no me oían, sólo mi amigo estaba atrapado entre mi furia y mis palabras, y sacudirme la rabia de la violencia de las religiones no hacía sino ofenderlo a él, señalarle una contradicción que tal vez era solo de los hombres, no de Dios, si acaso Dios existía. Pero mientras yo necesitaba a alguien que escuchara mis miedos, mi amigo parecía más bien hablarse a sí mismo, orar. En circunstancias como las de esa noche había que dejarlo hasta que saliera de ese estado de contemplación interior, pues llegaba a un punto en el que ya no escuchaba otra cosa más que las voces de su conciencia. Entonces me callé la rabia, y seguimos por la semioscuridad de la calle en busca de refugio.

Atrás había quedado un numeroso grupo de creyentes rogando por nosotros, los perdidos. Uno de ellos se había atrevido incluso a asomarse al bar donde mi amigo y yo tomábamos una copa. Nos había gritado que la palabra de Dios era todopoderosa, que solamente si nos entregábamos a Él se aliviaría nuestro irremediable mal. Algunos clientes del bar empezaron a provocar al creyente con bromas e insinuaciones, lo que de seguro alentó su misión redentora, pues puso los ojos en blanco, hizo un gesto de súplica al cielo y oró más fuerte, más agresivamente, hasta terminar hablando en lenguas. El barman lo amenazó con llamar a la policía, pero el creyente ya estaba de rodillas como esperando suplicio ante el umbral del mismo infierno. Atrás, formando un coro de rostros difusos, otros miembros del grupo de fieles cantaban un himno invocando la misericordia o el fuego, la luz y la ira de las alturas, pues eran nuestra culpa las desgraciadas terrenales, desde las hambrunas hasta las guerras.

El barman solicitó ayuda por teléfono. Había una estación de policía no muy lejos del bar, pero quien tomó la llamada hizo muchas preguntas y al final dijo que los fieles tenían todo el derecho de manifestarse, a fin de cuentas estaban en la calle y este país garantizaba la libertad de expresión. "En cuando nos sea posible enviamos a unos oficiales. Mientras tanto, mantengan la calma. ¿De acuerdo?"

Cuando llegaran, los oficiales probablemente se limitarían a poner a circular al grupo de creyentes. Poco más se podía esperar, sobre todo si se tomaba en cuenta que en las paredes del bar seguían incrustadas las balas que un agente vestido de civil había disparado pocos años atrás. El incidente fue tramitado como un caso aislado de locura, no como un crimen de odio, pues en esta democracia perfecta tales crímenes no podían suceder. Un atenuante fue que nadie salió herido, así que no hubo protesta que pudiera cambiar el veredicto de las autoridades. Por eso mismo la balas seguían en la pared, puntitos desparramados por una superficie blanca, desnuda de afiches y avisos de neón. Eran un aviso de que los tiempos seguían cambiando, retrocediendo.

Los otros creyentes le demandaron compasión a Dios, un milagro que nos permitiera abandonar nuestras tinieblas de inmoralidad y corrupción. "Perdónanos por ser quienes somos", pensé, "por las humillaciones que recibimos, por la violencia solapada..." Los piadosos reiteraron su ruego con más cánticos mientras giraban alrededor de una rústica cruz de madera, que me pareció un símbolo del tormento al que estaban dispuestos a someternos. "Morir en una cruz está de gran moda entre las locas", dije apurando mi trago, pero mi amigo no quiso entender el chiste, pues le preocupaba que alguien rompiera ese hilo en el que hacía malabares la tolerancia y que fuera lanzada la primera piedra.

Uno de los clientes sugirió cerrar las puertas. Algunos nos reímos nerviosamente, pues como tantos otros locales en el French Quarter el bar estaba abierto veinticuatro horas al días y no tenía puertas. Solamente dejaba de servir bebidas entre la medianoche y las seis de la mañana de cada miércoles de ceniza. Poco antes del último minuto del martes de carnaval se tapiaban las entradas con láminas de madera que los noctámbulos decoraban con mensajes o dibujos, y que luego se guardaban por si algún huracán obligaba al toque de queda o la evacuación. No obstante, aún en esos casos extremos, quien necesitara esperar el paso de los vientos era bien recibido en el bar. La sabiduría popular aconsejaba celebrar siempre, incluso cuando todos los pronósticos apuntaran a la tragedia.

El barman anunció que la policía estaba por llegar "en cualquier momento, puede ser ahora mismo o en un par de horas". Yo me encogí de hombros, al fin y al cabo ya tenía experiencia con el miedo, el de los otros y el mío propio. Mi amigo me rogó que nos fuéramos. Estaba muy ansioso, y en su apuro por terminar la copa y ponerse en marcha desparramó por la barra enormes gotas de ron e historias de crímenes sin resolver: "Robert Kyong, defensor público, fue encontrado de rodillas en la sala de su apartamento con una bala en la frente. *Evidentemente un crimen pasional*, concluyeron las autoridades... El Padre José Urrea, emboscado a la entrada de su casa, le partieron la cabeza con un bate de beisbol. *Crimen pasional,*

69

aunque nadie lo conocía en el ambiente. Ningún arresto...
Roxxyana, coronada Miss Jena en 2001, apareció estrangula-
da en un motel de paso. Le llenaron la boca con sus propios
genitales. La policía ni siquiera se molestó en buscar al culpa-
ble, al fin y al cabo era una vestida con antecedentes de
prostituta..."
Ayudé a mi amigo a ponerse la chaqueta. Tomándolo
del brazo fuimos a la entrada. Le dije "con permiso" al hablan-
te en lenguas. Él se incorporó dejándonos apenas espacio
para pasar, pero no se atrevió a tocarnos. Sin embargo, tan
cerca estábamos uno del otro que pude sentir el aliento amargo de aquellos sonidos ininteligibles, escupidos en mi cara y
en la de mi amigo. Cautelosamente, para evitar que el grupo
religioso nos rodeara, nos pegamos a la pared hasta poner distancia, luego salimos calle abajo. "Necesito otro trago", dije.
"Fanáticos, intolerantes..." Mientras apuraba el paso me atre-
ví a hacerle un comentario a mi amigo: "Dicen que el movimiento pro libertades civiles de los negros surgió de las
iglesias, en tanto el nuestro lo ha hecho de los bares. Ahora es
la iglesia la que acosa al bar".

Mi amigo caminaba un poco atrasado, como si estuviera
quedándose sin aliento. ¿Sería ésa su estrategia para no responder a mis amarguras? Se detuvo ante una tienda de anti-
güedades. Con ambas manos se apoyó en una columna junto
a la enorme vitrina. Sus ojos parecían recorrer con nostalgia
la reproducción de un mundo acogedor e íntimo, de mulli-
dos sillones, alfombras persas y lámparas colgantes abarrotadas de relucientes cristales. "No te equivoqués", respondió
finalmente, "la iglesia no es una sino muchas..."

En ese justo momento un grupo de personas se detuvo
a nuestras espaldas. Podíamos ver el reflejo de muchos cuerpos en el ventanal, pero no eran seres humanos sino más bien
bultos deformes, sombras que se iban desplazando de una
fuente de luz a la siguiente. Mi amigo palideció en tanto su
respiración se fue volviendo más tortuosa. Yo decidí aguardar,

mis puños fríos y tensos en los bolsillos de la chaqueta, el oído atento, la mirada fija en unos candelabros que daban a la tienda un aire de gloria acabada.

De repente se oyó una voz. Describía la tienda como la vieja mansión de un sultán venido de oriente, de un país cuyo nombre nadie en el grupo pudo reconocer. El gran salón de recibo estaba casi intacto, lo mismo los cortinajes de perciopelo que ahora enmarcaban las vitrinas. Por años se pensó que el sultán era otro extranjero estrafalario, esquivo, entregado a la soledad de quienes no entienden bien el habla local ni a su gente. Nadie sabía de sus esposas, todas encerradas en los pisos superiores, seis pequeños cuartos amoblados con el mayor lujo, pero respetando siempre las tradiciones de su país. La mayor de ellas no había cumplido los treinta cuando el sultán la mató. Se deshizo del cadáver con la ayuda de los truhanes del puerto y desde entonces, junto a otras cuatro esposas, mal descansaba en el fondo del río Mississippi. La sexta intuyó la desgracia por el silencio que fue tomando la mansión. Las mujeres no podían hablar entre ellas, ni dejarse ver siquiera por la servidumbre. Cuando los siervos limpiaban una habitación, la esposa debía aguardar en un saloncito de té ubicado en esa esquina del edificio donde aún brillaba una luz ambarina. A pesar de las prohibiciones, cada mujer del sultán logró informar a las otras de su presencia dejando papelitos en lugares secretos del saloncito. Quizás hasta contaron con la ayuda de alguna sirvienta, esos actos de solidaridad que las damas jamás confiesan.

Pues el sultán fue matando una a una a sus esposas. Todas lo supieron desde el principio, pues de pronto ya no había mensajes ocultos de alguna de ellas, tampoco se le oía cantar los versos que habían acordado como una forma de enterar a las demás de que se encontraba en buen estado de salud. Se dieron cuenta también que su Señor había decidido acabar primero con la más vieja, luego la que le seguía en edad, luego la otra. Todas se resignaron a su suerte, excepto la menor.

Cuando presintió su hora, dejó como al descuido todos sus brillantes enredados en la ropa de cama. Junto a ellos, una nota: "Por favor, deje abierta la puerta de los balcones". La muchacha fue al saloncito de té. Le sonrió nerviosamente al sultán, quien no le correspondió. Bebió de su tacita de porcelana, segura de que un veneno acechaba tras ese sabor a hierbas. El sultán, como lo hiciera cinco veces antes, se excusó porque debía atender asuntos en su oficina. La joven al menos podía concederle que su crueldad no llegaba al extremo de quedarse en el saloncito gozando la lenta muerte de sus esposas. Cuando estuvo a solas, sintiéndose ya débil, regresó a su dormitorio, fue al balcón y saltó a la calle arrastrando consigo los enormes helechos colgantes y los maceteros abarrotados de geranios rojos, violeta, blancos y naranja. Quienes pasaban en ese momento la vieron caer en silencio, sin un solo grito de horror. Se dice incluso que cayó lentamente, como flotando en medio de una nube de pétalos minúsculos, de colores brillantes… A veces, concluyó la voz, temprano en la madrugada, se puede ver a las esposas tomar asiento en los sillones de esta tienda, pues han quedado sus almas condenadas a la inútil espera de un salvador…

Las sombras se fueron acercando a nosotros hasta convertirse en un grupo de turistas en camisa hawaina y pantaloncillos cortos, con tarros de cerveza disimulados en bolsas de papel y sendas cámaras fotográficas. Nos rodearon sin mirarnos, buscando tras el ventanal algún vestigio de la tragedia del sultán y sus esposas. A mi derecha, la voz se transformó en un muchacho disfrazado de vampiro. Tenía el rostro oculto bajo una base blanca, decorada con ojeras azulosas, un falso bigote puntiagudo y unos labios negros, carnosos como yo no había visto en mucho tiempo. Llevaba guantes, un gabán ajado por el uso y un sombrero de copa demasiado grande, que apenas se mantenía en equilibrio sobre una peluca azabache. Si el propósito era asustar a su audiencia, el muchacho había fracasado rotundamente, pues más bien movía a la ternura o al recuerdo de personajes de Lewis Carroll o Charles Dickens. "¿Sobrevivió la mujer que saltó por el balcón?", le pregunté. "¿Atenuaron su caída las flores?"

El muchacho me ofreció una sonrisa negra, pero no contestó. Luego uno de los turistas pidió la palabra: "¿Y qué va a pasar con los espectros cuando vendan esos muebles?"

"Este salón no está en venta", dijo el muchacho con inapelable autoridad. "En el pasado algunos coleccionistas intentaron adquirirlo, pero cosas extrañas empezaron a ocurrirles. Finalmente nadie se atrevió a cerrar el trato, pues hubiera sido como llevar a casa maldición y muerte".

Unos minutos más tarde el grupo empezó a moverse hacia otros sitios de interés. Yo agradecí en silencio el haber coincidido con un tour de vampiros, pues siempre aprendías algo de sus rondas por los misterios del French Quarter, aunque fuera una mentira.

Ya para entonces mi amigo respiraba otra vez en calma. Esperamos unos segundos más, luego emprendimos de nuevo la marcha hacia uno de los establecimientos más antiguos en el barrio, el Café Lafitte in Exile: Dos barras en herradura, un balcón por donde se habían asomado extravagantes reinas, se habían fraguado amores y venganzas y donde, en carnaval, se aglomeraban hombres de todas partes del mundo dispuestos a vivir el momento. Pero sobre todo era un espacio propio, donde podíamos ser quienes éramos. La leyenda decía que el original Café Lafitte había estado en otra esquina unas cuantas cuadras hacia el oeste, pero misteriosas circunstancias obligaron a varios traslados, un peregrinage que inspiró a los clientes a ver en la condición transhumante del bar una metáfora de nuestro propio exilio. Por eso el nombre, por eso el rótulo provisional malamente colgado junto a la entrada. Mi amigo y yo subimos directamente al balcón, queríamos advertirle a quien quisiera oírnos de la proximidad de los creyentes, pero los clientes disfrutaban la noche en pequeños grupos, y no había ambiente para alertar a nadie de un peligro tan incierto. Me hice de un par de sillas en tanto mi amigo iba por unos martinis. Yo miraba de reojo a lo lejos, seguro de que los creyentes no tardarían en arribar. La calle, de por sí pobremente iluminada, engullía con su sombra a cada peatón. Cualquiera salvador podría estar oculto en la noche, listo para abalanzarse sobre algún extraviado y agredirlo hasta conseguir que su alma se purificara y volviera a la *normalidad*.

Creo que mi amigo regresó con las bebidas y dijo algo. Pudo haber hablado por horas, sin embargo yo estaba absorto en mis pensamientos, mezclando en mi imaginación a los fieles que giraban alrededor de nuestra cruz con ese sultán sin rostro ni idioma, que se paseaba por su mansión aterrorizando a sus esposas. A ratos sentía un miedo cortante, causado por la proximidad de los piadosos, ellos unidos por certezas sobre el bien y el mal, por su obligación de enderezar este mundo con súplicas y violencia. Le temía también al sultán, cuyos pasos en las mullidas alfombras podían ser imperceptibles y a la vez enormes, ruidos monstruosos para los oídos de las esposas, acostumbradas en su soledad a percibir la vastedad del poder incluso en los sonidos más sutiles.

Tan ido estaba tales pensamientos que no sentí la llamada de atención de mi amigo. Tuvo que agitarme con fuerza: "Mira, mira", fue su orden. Después de innumerables visitas a ese bar, por primera vez reparaba en el edificio al otro lado de la calle. Era una construcción decrépita, con las paredes exteriores marcadas por rajaduras como cicatrices. En la primera planta, un *diner* de dragas servía las veinticuatro horas entre olor a grasa e improvisados espectáculos de fonomímica. Quizás alguna madrugada me había detenido a comer una hamburguesa o unos huevos, a oír las historias de los parroquianos y de los empleados del lugar, muchos de los cuales estaban seguros de que triunfarían en el mundo de la farándula, las pasarelas, el romance al estilo Hollywood o al menos en los próximos carnavales. Sobre el *diner* había un puñado de minúsculos apartamentos, cuya entrada principal –una puertecilla de madera desvencijada, víctima de la humedad y el calor– conducía a un corredor lateral, el cual probablemente desembocaba en un jardincillo donde una insegura escalera ascendía al pasillo donde se apretuaban los apartamentos. Junto a esa entrada de calle, también esperando algo o a alguien, estaba el muchacho-vampiro. Se mecía como siguiendo el ritmo de una canción, mirando alternativamente a un lado y a otro de la calle. Traía el sombrero de copa en la mano. Adentro había puesto sus guantes, los panfletos del tour, unos mapas del barrio y algunos cupones promocionales. Solamente faltaba un pase mágico para transformar todo aquello en un conejillo, o en un ramo de flores para halagar a algún transeunte desprevenido. Se había quitado la capa pero no la peluca, transformándose de vampiro en uno de esos seres extravagantes que a diario se exhibían en el French Quarter. Mi amigo me urgió a invitarlo a tomar con nosotros. Se apoyó en la barandilla a gritarle: "Usted, allá abajo, el sultán de las seis esposas... Aquí arriba... ¿Nos acompaña a una copa?"

El muchacho alzó la vista, brindándonos su sonrisa aún pintada de negro, e hizo un saludo con la mano libre. También tenía las uñas de color oscuro. Sin decir palabra dio media vuelta y desapareció por la puertecilla desvencijada. Mi amigo volvió a sentarse, me tomó del brazo y se quejó de lo irresponsables que eran la belleza y el deseo. Se vuelven tan fugaces, dijo, y te acechan como lo harían los lobos. ¿Cuál es entonces la diferencia entre el mal y la belleza si ambos te exceden, si ambos te pueden hacer feliz y al final te pueden arrugar el alma como se hace con un pedacillo de papel?

Frente al amplio balcón del Café Lafitte había otro más pequeño, que precedía a una altísima ventana de dos hojas, abierta de par en par. Mientras mi amigo mascullaba sus especulaciones, yo seguía con la imaginación la posible ruta del vampiro por el desastroso jardincillo, las escaleras, el pasillo hasta la puerta que yo deseaba. Al otro lado de la calle se encendió una luz sobre un cortinaje rojizo, descubriendo la profundidad de la habitación. ¿Y qué será de nosotros cuando de la belleza no quede sino ruinas?, se lamentó mi amigo. No pude evitar darle otro vistazo a la calle, tal vez me hubiera equivocado, tal vez los piadosos no incluirían el Lafitte en su ronda de esta noche. Voltee hacia el balconcillo justo cuando la silueta de una persona con un sombrero de copa en la mano cruzaba de un lado al otro el espacio a la vista, una suerte de escenario diminuto marcado por los contrates de las cortinas rojas. La silueta iba y venía, tomaba la forma del joven vampiro, se desfiguraba según los caprichos de la luz, volvía a ser el personaje que había relatado la historia del sultán. Simulaba estar solo, no darse cuenta de la enorme presencia del Café Lafitte, abarrotado de hombres sedientos. Con calculada lentitud se fue quitando su disfraz hasta quedar en un cuerpo que deambulaba por su habitación como si estuviera preso, ahora sin camisa, ahora sin pantalones. "No está nada mal", dijo alguien a mi espalda. Ya un pequeño grupo se aglomeraba en torno a nosotros, en tanto se corría la voz por el bar y más clientes iban llegando. El muchacho dio media vuelta, se acercó unos pasos a su balconcito, apenas lo suficiente para recibir la luz de la calle. Tenía un torso delgado pero con posibilidades, la piel blanca, lechosa, fresca a la vez. Su mirada no nos incluía, o al menos ésa era la pretensión, pues en un movimiento inocente, íntimo, se quitó el calzoncillo y lo lanzó fuera de cuadro. Uno de los clientes silbó admirado, pero un siseo que vino de todas partes lo obligó a callarse. El muchacho, todo un profesional de la provocación y la ingenuidad, salió de escena dejando a los mirones al borde del abismo, a punto de saltar la baranda del Lafitte y aventurarnos por el vacío hasta el otro lado de la calle, cualquier cosa con tal de hacerse de ese cuerpo.

Pasaron los minutos sin novedad y algunos se cansaron de la espera. Mi amigo se aferró a mi brazo por si acaso se me ocurría renunciar a mí también. Al cabo de una eternidad, el muchacho volvió a aparecer. Traía una silla, un cuenco y un espejo que apoyó en algún mueble imposible de ver. Se dehizo de la peluca, y fue limpiándose morosamente la cara, los brazos, las piernas... Usó la silla para crear nuevas siluetas, aprovechando la luz callejera y la de su pieza. Después se volvió hacia la pared ofreciéndonos su trasero prometedor, sabroso para ciertos juegos. Mientras tanto los clientes del bar fingíamos no estar allí, ser invisibles. Esa era nuestra mínima contribución al espectáculo.

Con la vista y el humor puestos en el muchacho, no nos percatamos de la llegada de los creyentes. En un abrir y cerrar de ojos se habían organizado a las puertas del Lafitte, con la cruz en el medio de la calle, las oraciones y los cánticos, esas invocaciones al perdón que más bien parecían un llamado al castigo. Arriba, el muchacho esta ofreciendo una especie de danza exótica. Pretendía ser sensual, aunque a mi parecer más bien estaba rozando lo cómico. Fugazmente se acariciaba el cuerpo, procuraba excitarse, pero realmente no le ponía mucho empeño a la tarea. Pronto lo vimos tomar el teléfono, recostarse casi en el marco de la ventana y volver a tocarse, pero ahora con la mecanicidad y la ausencia del actor que ha perdido la concentración y la gracia. Algunos clientes del bar se pusieron a discutir si el nuevo giro aportaba calidad a la puesta en escena o si por el contrario la arruinaba, pues les era evidente cómo el muchacho recurría a cualquier truco para mantener la atención.

Quienes no lograban distraernos eran los creyentes, a pesar de sus plegarias a gritos. El hombre que un rato antes había hablado en lenguas permanecía sumido en el silencio, quizás el esfuerzo de comunicar cosas incomprensibles lo había debilitado para el resto de la noche, y ahora parecía un inválido que se sostenía del brazo de una mujer. Más gente se había unido a ellos, incluso un tipo con un pequeño tambor que hacía sonar de cuando en cuando, mejorando la ejecución de los himnos. A la orden de quien debía ser el líder, los fieles se tomaron de la mano y empezaron otra vez a girar alrededor de la cruz. Arriba el muchacho tampoco parecía estar interesado en la conmoción que se iba formando en la calle. Hablaba por teléfono, asentía, se tocaba sin encanto. Al terminar la conversación su rostro se había quedado vacío. Ya no era el guía del tour de vampiros, ni las siluetas, ni la sed que poco antes nos había convocado. Esa gracia del seductor había abandonado el pequeño escenario de la cortina roja, dejando ante nosotros solamente una bolsa de huesos, piel y alguna carne, no más esa apetencia capaz de mantener en vilo a los lobos. Y tal renuncia se acentuaba por el rumor de la calle, tan abstracto, por esa mezcla de voces dispares, viento, y el arrastrapiés de los piadosos en torno a la cruz. Arriba, a este lado de la calle, todo era expectación. Algunos clientes asumían en completo silencio la perplejidad de atestiguar cómo dos escenas tan opuestas podían coincidir en el mismo punto del cosmos. Por mi parte tenía la convicción de que no eran tan disímiles. En cada vértice de ese triángulo había una provocación, un ansia proclamada. Cada cual, a su manera, pretendía llevar al otro a su esquina sin ofrecer concesión alguna: Los creyentes querían sobre nosotros un castigo que los justificara; ante ello resistíamos, pues en el sacrificio de la resistencia también se hallaba una razón de ser; mi amigo sufría por esa distancia artificial entre la plegaria y la carne, quizás en su corazón lanzaba puentes entre ambas orillas; el vampiro provocaba desde la seguridad de saberse inalcanzable, prometía algo que no iba a honrar, era una abstracción casi como Dios, tan inocente y perverso, tan inmediato y a la vez tan distante...

Cuando colgó la llamada, el muchacho pareció volver de un mundo mejor a éste rodeado de paredes y mirones. Dejó de explorarse con las manos y se puso a buscar algo entre cajones. Volvió a vestirse y sin saludar a su público cerró parcialmente las puertas del balconcillo. Los clientes del bar se quejaron por el desenlace, y regresaron a sus lugares. Mi amigo me propuso ir a otra parte, pero yo le pedí que esperáramos, como si supiera que no había llegado el final del show. Sin comprender muy bien mis palabras, buscó alrededor algún indicio. Yo me limité a señalar el apartamentito al otro lado de la calle, donde el muchacho nos daba su perfil mientras se miraba en el espejo. "Se acabó, vamos adonde nos dejen en paz", insistió mi amigo, pero esta vez fui yo quien lo retuvo del brazo: "Un minuto más." El muchacho dio un giro, como verificando el orden de su casa, luego apagó la luz. "Se fue", dijo mi amigo. "Poné atención, no seás terco", le respondí. En mi mente fui reconstruyendo su ruta hacia el pasillo, las escaleras de madera, el jardín, luego el callejón lateral, finalmente la entrada. Salió a la calle, miró con detenimiento al grupo de piadosos hasta identificar a alguien. Esa persona, otro joven por cierto, lo saludó con la mano, salió del círculo y le dio un fuerte abrazo, en apariencia fraternal. Se pusieron a hablar, uno muy cerca del otro, para hacerse oír entre el ruido de los cánticos y las plegarias que nos demandaban a nosotros, los desviados, volver al Señor. De lejos parecía que se rozaban el lóbulo de la oreja con los labios, como lo harían dos amantes. A mitad de la conversación, ambos sacaron sus teléfonos celulares, verificando alguna información en sus pantallas. Parecían novios recordándose uno al otro el último mensaje, la más reciente llamada de amor, la presencia constante. Al terminar, el creyente tomó al vampiro de la mano y lo condujo al círculo. Los otros creyentes le abrieron espacio entre sonrisas y saludos. El joven cantó con ellos, bajó la vista al momento de la oración final, los siguió cuando lentamente reemprendieron su marcha hacia el siguiente antro. En el último segundo antes de desaparecer de nuevo entre las sombras volteó a mirar arriba, al balcón donde mi amigo y yo presenciábamos su partida. Por primera vez su expresión parecía incluir a esos otros que seguíamos presentes en ese instante, en ese lugar. Cruzamos miradas. Yo hice un gesto de

La multitud

Allí se me representaron de nuevo mis
fatigas y torné a llorar mis trabajos.
Lazarillo de Tormes

¿Somos una persona o nos habita una
multitud?
Martín Solares, Los minutos negros

El gato se llamaba *Baldobino* pero Clara no pudo sucumbir a la tentación de buscarle su verdadero nombre, pues *Baldobino*, aparte de ser una fatigosa mezcla de vocales y consonantes, respondía a la otra vida del animal, no a ésta con Clara, Daniel y los niños. Así con el tiempo pasó a ser simplemente *Nino* y al gato parecía no molestarle. Había aprendido también que el momento de las meriendas se convocaban con canciones, una para él, los otros gatos y el perro. Más o menos a la hora en que empezaba el hambre, Daniel llamaba desde la cocina: "¿Luna quiere su tuna? ¿Benito, café tinto? ¿Nino, su tazón de vino?" Los tres gatos respondían presurosos antes de que el perro terminara de saciarse con lo hubiera en sus cuencos.

Como todos en la familia Nino venía de otra parte. Cuando se llamaba Baldobino pertenecía a una mujer de Texas, una artista ambulante que había llegado a New Orleans

81

en busca de inspiración y de un amor esquivo, renuente a aceptar la intensidad de sus sentimientos y a poner casa con ella. La artista vendía tiliches en Jackson Square, pero el dinero no le daba ni para cubrir el alquiler de un cuartucho en el Marigny ni para saciar sus necesidades de tabaco, marihuana y alcohol. Clara la conoció un viernes por la noche, cuando fue a darle de comer a los indigentes. Cada semana, ella y otros voluntarios preparaban una cena colectiva y la servían a quien quisiera en la penumbra de un estacionamiento rodeado por antiguas bodegas del puerto y por el muro del dique que contenía al Mississippi en su cause. Los voluntarios se colocaban en línea detrás de unas mesas plegables cubiertas con manteles blancos, y ofrecían generosos lo que hubiera: arroz, pasta, frijoles, ensalada. Muchas veces los comensales no respondían a la imagen que Clara tenía de un indigente. No necesariamente eran personas sucias, despeinadas, de uñas como garras y expresión de súplica en la cara. Algunos parecían vendedores ambulantes, otros vecinos que simplemente iban pasando a esa hora por el lugar. Había en el grupo chiquillos con corte de pelo y vestimenta a la moda, drogadictos que finalmente podían darse el lujo de una cena caliente, viejos y viejas que extendían sus manos llenas de anillos. La artista texana había llegado ese viernes con Baldobino en una cesta. Uno a uno le fue preguntando a los voluntarios si querían adoptarlo. Las respuestas eran amables pero esquivas, aún así la mujer seguía insistiendo. "Me debo ir de la ciudad y no puedo llevarlo conmigo", rogaba antes de volver a intentarlo con la siguiente persona, "un buen gato de Austin, pero negro como es aleja el amor y yo debo seguir a mi hombre".

Clara mostró a la mujer una cuchara rebozante de frijoles rojos. Ella accedió con un movimiento de cabeza e inmediatamente dijo:

"¿Usted quiere mi gato? Se llama Baldobino".

Clara sonrió anticipando la situación: "Ya tengo muchos animales".

"Pero éste es distinto", insistió la mujer, "es gato de artistas. Además, la voz interna me dice que usted es la persona indicada".

"Usted acaba de decir que un gato negro aleja el amor". La artista le dedicó una mirada a Baldobino, que parecía incómodo en la canasta. Para calmarlo, le empezó a acariciar la cabeza.

"Es malo para el tipo de amor que siento, pero tal vez usted... ¿tiene hijos?"

Le pidieron a la mujer que avanzara. Ella se movió dócilmente, sin protesta alguna. Fue hasta el extremo de la mesa donde entregaban botellas de agua, luego desapareció entre las otras personas. Por esas reglas no escritas, los voluntarios pocas veces conversaban con los indigentes. De hecho, siempre se referían a ellos como *los comensales*, aunque también se permitían llamarlos *las personas* o incluso *los clientes*. Era una forma de ser caritativo sin abrir demasiado espacio a la intimidad: a fin de cuentas aquéllos que cada viernes asistían a comer eran *otros*, jamás alguien cercano con quien se pudiera compartir una inquietud o simplemente un sueño.

Una vez que terminó la última ronda de comensales, los voluntarios empezaron a recoger los utensilios de cocina, las bolsas llenas de basura, los restos de comida que nadie deseaba. Debían dejar el estacionamiento tan limpio e inhóspito como lo habían encontrado. Clara empacó sus cosas y salió a buscar un taxi. Muy pronto sintió detrás de ella los pasos de la mujer. Un poco asustada miró alrededor procurando calcular sus posibilidades de escape. Bien sabía que después de la cena todo gesto de empatía entre los voluntarios y los comensales quedaba en suspenso hasta el viernes siguiente. Las reglas eran tan claras que cuando clientes y voluntarios se encontraban en la calle no se cruzaban ni palabra ni mirada.

Volver al estacionamiento era imposible, pues no podría evitar a quien la perseguía. Adelante, pero a una distancia que parecía insalvable, estaba Elysian Fields, una avenida

suficientemente iluminada, donde los turistas siempre deam-
bulaban y donde no sería difícil encontrar un taxi.

"¿Corre porque me tiene miedo?", le gritó la mujer.
"¿Piensa que voy a quitarle algo?"

Clara se detuvo después de unos cuantos pasos. La mujer se había sentado en el borde la acera como agotada por el
esfuerzo. Volcó la canasta, el gato cayó fuera dando un par de
saltitos mientras su dueña le reclamaba: "Nadie nos quiere
por viejos y sucios, Baldobino". Entonces Clara se acercó aún
un poco temerosa, le hizo mimos al animal y vio que se dejaba
alzar sin reparos. "Lo encontré husmeando en la basura en
Austin, él y yo compitiendo por algo de comer", dijo la artista.
"Lo quiero mucho pero no puedo quedármelo. La vida me ha
enseñado a viajar liviana de equipajes y de afectos".

"Entonces ya no lo quiere", concluyó Clara mientras
acariciaba la carilla fea del animal.

"Si no lo quisiera lo dejaría en la calle o lo ahogaría en
el río... Las cosas son distintas, ¿sabe?, y lo más querido se pierde inevitablemente. Ahora me voy de esta ciudad de mierda y
quiero empezar limpia de todo, amores incluidos. ¿Se lo va a
llevar con usted?"

Ni Daniel ni los niños protestaron por el recién llegado,
tampoco hubo muestras de entusiasmo. Era uno más en una
larga lista de animales que recogían en la calle y que casi siempre terminaban desapareciendo al cabo de meses o años. Daniel se hizo cargo de buscar un cuenco viejo para darle su
comida, acuñó una tonadilla para la hora de la cena y le
permitió entrar a voluntad en su taller. Dejó solo a Nino con
los otros gatos y el perro, pues entre ellos debían negociar el
espacio de convivencia en la casa. Pronto se dieron cuenta de
que Nino hacía unos ruidos particularmente extraños, como
si refunfuñara en vez de maullar. Un amigo veterinario sugirió que le dolían las encías, o tal vez era algún padecimiento
difícil de identificar, como un permanente dolor de cabeza.

"Males de animal viejo," concluyó el amigo, "no hay nada que hacer".

El gato pasaba la noche en la cocina. Hacia las cuatro subía al segundo piso y desde la puerta de cada cuarto refunfuñaba exigiendo atención, pero solamente Clara solía despertarse y atender al animal. A pesar de la hora su mente ya se hallaba en ese estado intermedio en el que hay conciencia de que se está soñando, aunque las imágenes y las sensaciones sigan su curso a voluntad, sin importarles que uno sea el espectador de sí mismo o de escenas incoherentes que se suceden aun a nuestro pesar. Hasta esa incierta bruma de la duermevela llegaba el llamado del gato, insistente, discreto, el pobre Nino que se estaba poniendo muy viejo y ya no era capaz de lidiar con su insomnio y sufría, necesitaba salir al jardín a tratar de orientarse, no necesariamente a alternar con otros gatos, pues los felinos del barrio ya no le hacían caso, seguramente por refunfuñador, por pasarse contando las historias de sus mejores tiempos, cuando era hermoso, no le faltaba pelo en el lomo, no le dolía nada, y a su alrededor flotaba un aroma a bohemia. Clara oía al gato deslizarse por la habitación, se despabilaba lentamente y como en un acto reflejo miraba al suelo en su busca, después echaba un vistazo al otro lado de la cama donde Daniel debía estar durmiendo. Pero ese viernes Daniel no estaba, ni siquiera había desorden de sábanas, como si no hubiera pasado ahí la noche.

Clara se incorporó y vio que del pasillo venía luz. Se puso la bata y salió tras Nino. La casa estaba tan silenciosa que podía escucharse la respiración acompasada de los niños en sus cuartos. "¿Daniel?", dijo, pero no obtuvo respuesta. Abajo también estaban encendidas las luces. Ella y Nino recorrieron la sala, el comedor, la cocina, todo iluminado y en silencio. "¿Daniel?", repitió sin recibir respuesta. Muy cerca de la casa rugió un camión. Su poderoso paso por esa ciudad fundada

85

en un pantano hizo que la tierra se estremeciera y que una breve sacudida hiciera tintinear las lámparas del comedor. Clara se asomó al jardín. Afuera, la humedad se asentaba en sólidos mantos de neblina. Debía hacer frío, así que Clara volvió al dormitorio por un suéter; después salió con el gato enredándosele entre las piernas. Llamó a su marido desde la puerta del tallercito donde hacía su arte, un pequeño cajón a la sombra de un magnolio. El cerrojo no estaba puesto, así que se decidió a entrar. "¿Daniel?", insistió solamente para asegurarse de que tampoco se encontraba en la pequeña soledad del taller. Encendió la luz y vio un desorden que no era usual en los espacios privados de su esposo. Apoyado contra la pared reposaba un gran espejo; extendiéndose por el piso había mucho papel, como si su marido se hubiera dedicado a hacer trizas sus cuadernos de bocetos. En un rincón seguía esperando lo que sería la gran obra de Daniel, un enorme árbol de latón del que pendían hojas con palabras grabadas en el haz. Puñados de esas hojas estaban dispuestos en un aparente caos, pero según Daniel le correspondía al espectador darle sentido a los textos. "Este es un árbol para leer", decía emocionado, "todos los significados se encuentran en él, solamente se debe crear la ruta correcta". Una ruta se abría con la palabra "mar", otra con "Caribe", la tercera con "abrazos". Daniel pretendía que todas las rutas, como en un laberinto, condujeran a una idea central, única para cada espectador. Cada hoja había sido hecha individualmente, luego colocada en el árbol de acuerdo con un plano que no se hallaba descrito en ninguna parte, salvo en la cabeza de Daniel. De vez en cuando Clara iba a admirar los resultados. Asentía en silencio ante ciertos detalles y guardaba como un secreto inconfesable la convicción de que la obra nunca tendría final, pues Daniel se perdería en las palabras y sus significados como se extraviaba constantemente en el mundo real. A veces era difícil convivir con él, pues Daniel no era un hombre sino un péndulo que iba y venía entre la euforia por sus proyectos sin sentido y los amargos cismas de una realidad más parecida a una prisión. Pero a ella le gustaba así, con sus búsquedas interminables, con su fragilidad ante un mundo que no se sujetaba a sus sueños. "¿Daniel?", volvió a llamarlo como si él pudiera emerger del desorden. Nino refunfuñaba desde la puerta, quizás quejándose del maldito insomnio que alargaba injustamente sus noches.

Al pie del espejo Clara encontró una pila de cilindros de papel, borradores gastados, varios lápices y carboncillos. Deshizo el primero de los rollos. Lo que estaba dibujado le causó sorpresa, pero no mucha. Extendió el resto de los papeles, todos tenían lo mismo. Daniel, antes de desaparecer, se había dedicado a dibujar sus propios pies. En alguna ocasión había trabajado sobre los de Clara en esbozos de trazo limpio que apenas sugerían la forma, como si la intención fuera que el espectador tomara el rumbo señalado por el lápiz para inadvertidamente perderse en la amplitud del papel. Daniel tenía el propósito de crear una serie completa, por lo que había hecho los dibujos en las situaciones más disímiles. Había unos pies de Clara cuando leía, otros de cuando estaba durmiendo después de hacer el amor, otros de una supuesta Clara alegre o triste, todos suspendidos en el infinito. Ahora, quizás en las últimas jornadas u horas, Daniel se había dibujado a sí mismo, aunque la sensibilidad era otra. En primer plano estaban sus pies, más al fondo, en un ángulo un tanto forzado, se veían las piernas, las nalgas, el torso, un esbozo de la cabeza... Parecía el obsesivo retrato de un cadáver, un bulto tirado sin concierto alguno sobre el piso. Eran los pies de Daniel, pero también eran otros pies, llenos de surcos, con los dedos exageradamente deformes. No eran unos pies deseables sino sufrientes, dibujados desde una perspectiva que subrayaba la angustia de un cuerpo que no tenía paz ni siquiera en su más íntima desnudez.

"¿Daniel?", dijo Clara muy bajo, como si buscara a su compañero entre niños dormidos, "¡Daniel!" Se fue gateando por el estudio, buscando en los compartimentos de la mesa de trabajo, entre bocetos y piezas de arte sin terminar, entre palabras sueltas que tal vez algún día formarían parte de aquel árbol absurdo. Buscaba porque Daniel se perdía en el camino, se desconcertaba en ruta a sus propósitos y solamente con la ayuda de Clara de vez en cuando podía anclarse. Llegó hasta la puerta donde Nino la esperaba. Salieron hacia la calle por el costado de la casa. Los portones estaban cerrados, la vieja *van* seguía allí, cubierta de humedad. Clara tuvo una sospecha. Se asomó por las ventanillas después de limpiar los vidrios con la manga del suéter. También estaban empañados por dentro, pero ello no impidió que sintiera a Daniel tirado en el piso del vehículo.

Quiso abrir, pero las portezuelas tenían el seguro puesto. En ese momento, tratando de pensar qué hacer, no prestó mucha atención a la persona que desde la calle le preguntaba si había extraviado las llaves. "A mí me pasa a menudo que pierdo las cosas. Entonces le pido ayuda a San Antonio, un santo milagroso pero aprovechado, pues no hace el milagro si una no le promete retribuciones".

Clara puso las manos abiertas sobre los vidrios, como sosteniéndose, como transmitiéndoles fuerza para hacer saltar los seguros y liberar a Daniel. Lentamente se volvió hacia la voz que le recomendaba rogarle a San Antonio. Era la vecina del frente, Lyla, una mujer que al verla daba la sensación de que se había detenido en una tardía juventud. "Será por la mezcla de sangres", había comentado Daniel alguna vez mientras la espiaba tras los visillos, "pero Lyla cumple a cabalidad con ese rasgo de los negros y los mulatos que mi madre mencionaba frecuentemente: sólo sabes que están viejos cuando los ves arrastrando los pies". Aún no había suficiente luz, pero Lyla estaba siempre en pie desde temprano como si tuviera algo urgente por resolver. Se duchaba despacio, no leía el periódico sino hasta después de tomarse un café y de escuchar los primeros reportes del tráfico y el pronóstico del tiempo. Después se sentaba en una mecedora del porche a la espera de que algún incidente la sorprendiera. "¿No pudo dormir bien, Clara? Yo tampoco, pero en mi caso es por vieja. Usted tiene razón para estar ansiosa, hoy empieza su nuevo trabajo en la oficina, ¿cierto? Debe ser muy emocionante..."

Clara no dijo nada, desconectados sus pensamientos de la conversación que la vecina quería iniciar. Volvió a pegar la nariz al vidrio de la *van*: Daniel seguía inmóvil, ni siquiera era claro si estaba respirando. "Lyla, voy a necesitar su ayuda," dijo finalmente, "no sé si mi esposo está vivo o muerto. Mientras lo averiguo, usted se va a hacer cargo de mis niños".

Una vez abierta la puerta, salió de la *van* un pesado olor a fruta podrida. Daniel tenía el suéter manchado de baba, los pantalones puestos de cualquier manera, los pies rotos y sucios. No reaccionó cuando Clara le palmeó las mejillas ni cuando Lyla le dejó ir medio vaso de agua con hielo. "Extraño", dijo la vecina intentando secar al enfermo con una toalla, "en las películas siempre funciona..." Para entonces Clara había llamado un taxi, pues no quería que una ambulancia despertara a los niños. "Ya será suficientemente difícil explicarles la ausencia de sus padres," comentó con voz neutra, "pero al menos a usted la conocen".

Trataron de sacar el cuerpo del vehículo, pero apenas podían con su peso. De cuando en vez Daniel murmuraba algo ininteligible, primitivo, tal vez viajaba en el tiempo hacia otras vidas. "¿Y el nuevo trabajo?", se preocupó Lyla. "¿No será mejor pedir libre el día?" Clara negó con la cabeza. De repente tenía ganas de un cigarrillo, pero hacía años que no fumaba ni bebía. Supuestamente Daniel también había renunciado a meterse cosas en el cuerpo. "Tendría que dar demasiadas explicaciones. No estoy lista ni siquiera para comprender yo misma qué está pasando". "Pero solamente debe decirles que hay una emergencia familiar, más no deben saber". Clara volvió a hacer un gesto de negación. "La excusa más usual para faltar al trabajo. Precisamente cuando me ofrecieron el ascenso me advirtieron que las ausencias por problemas familiares sería la primera práctica a erradicar". El taxi llegó. Entre tres fue más fácil cargar el cuerpo, aunque al intentar acomodarlo en el vehículo se fue de lado y quedó medio atorado entre los asientos. Clara le echó una mirada a esa masa de carne y ropa sucia. Por un instante se sintió vacía de emociones, pero al cabo de unos segundos una fuerza fue bajando por sus brazos hasta los dedos. Quería estrangularlo, arrastrar a Daniel por la calle y dejarlo junto a unas bolsas llenas de hojas y ramas que se apilaban en la esquina. Se sentó junto al chofer. Con las manos apretó sus rodillas hasta sentir dolor. "Al hospital. El día será largo".

"Claro que sí, Nino, muy triste la vida, Nino, muchas aventuras pero el tiempo pasa y una se va cansando, Nino, sí, sí..." Lyla se había hecho un café y estaba sentada en el comedor aguardando que lo niños despertaran. Al otro lado de la calle le esperaba su propio gato y el desayuno de cereales bajos en calorías. Pero a este lado estaban los niños, quienes debían prepararse para la escuela con alguien que hasta entonces no había sido más que la vecina, esa señora de piel un poquito oscura y ojos clarísimos que había vivido en la misma casa por más de sesenta años y que contaba con una sonrisa en los labios historias de negros buenos y de blancos que no se daban cuenta de su propia maldad. Los niños, por su parte, habían aprendido a concebir el mundo como una serie de lugares de paso. Se llegaba a ellos o se abandonaban por avatares de trabajo o porque siempre hacía falta algo, como si el espectro de la ansiedad acechara todo el tiempo, incluso cuando la vida regalaba una de esas alegrías simples y absolutas. Los niños habían escuchado muchas veces cierta conversación entre Daniel y Clara. Sin comprenderla por completo, podían adivinar fácilmente su rumbo y consecuencias: "¿Cómo se busca ese algo que no se puede nombrar? ¿Por qué el mundo inevitablemente pende entre la zozobra y el abismo? ¿Nos podremos salvar del absurdo?" Algunas mudanzas las provocaba una intuición, usualmente de Daniel. Le decía a su mujer y a sus hijos que quizás ahora sí, en tal o cual sitio, podrían encontrar su espacio; el algo tan soñado sin duda estaría ahí, en esa nueva ciudad o en aquél barrio donde no más llegar uno se sentía en casa. Al cabo del tiempo, sin embargo, algún signo que solamente podía ser descifrado en el mundo de los adultos, les indicaba que era hora de hacer las maletas de nuevo.

En todos esos años solamente una vez se había dado un amago de protesta. Clara había aceptado un trabajo en otra ciudad, y les aseguró a los niños que harían nuevos amigos, esta vez más leales y divertidos. "Pero estamos contentos con los amigos de ahora", protestaron, "y uno los pierde cuando se va". Clara insistió que no era como ellos pensaban. Ya verían lo bueno de la nueva casa, el barrio, los lugares para divertirse, la escuela... Los chiquillos no le creyeron, pero ya sabían que el mundo de los adultos estaba lleno de decisiones impuestas. Refunfuñando se fueron a preparar sus cosas, pues desde pequeños también sabían dónde estaban guardadas las maletas y cómo decidir entre lo importante y lo necesario.

Siguiendo la ruta de los trabajos habían llegado a New Orleans, donde Lyla Alonzo había vivido siempre. Aferrados a una sutil red de amigos y necesidades, desde la escuela hasta un ingreso que permitiera salir adelante con las deudas, Clara y los suyos fueron dejando la peregrinación de una ciudad a otra pero no la inquietud. Iban de una casa de alquiler a la siguiente, de apartamentos en los altos de mansiones decadentes a *shotguns* donde aún sobrevivían vestigios de mejores épocas. Finalmente se instalaron frente a Lyla. A la primera oportunidad cruzaron la calle, se presentaron y ella los invitó a tomar un café para escuchar su historia. Se sorprendió grandemente de conocer a unos trashumantes, pues ella encontraba inconcebible la idea de abandonar esas calles, desde las cuales había sido testigo del paso del siglo. Muy cerca de su casa, por ejemplo, seguía corriendo el tranvía con los mismos carros de color verde, sin aire acondicionado ni calefacción. "¿No se han dado cuenta?", les contó a los niños. Cuando ustedes suben al tranvía pueden ver a lo largo del pasillo pares de huequitos. En los cincuentas, cuando yo tenía la edad de ustedes, en esos hoyos se aseguraban unas barreras para separar los asientos de los negros de los asientos de los blancos. Dependiendo de cuántos blancos viajaran, nosotros teníamos que irnos más y más atrás, como amontonándonos en la cola del tranvía. Y para que nadie tuviera duda, había un letrero *No negroes beyond this point.* Cuando empezó el movimiento de derechos civiles yo fui una de las primeras en tirar una barrera por la ventana. Ha sido lo más valiente que he hecho en mi vida. Pero los hoyitos siguen allí, y no me molesta: Te ayudan a recordar lo importante".

Muy cerca de la casa de los Alonzo se podía comer también crema de maíz y mariscos en el restaurante donde la mafia solía celebrar banquetes décadas atrás. Como una forma de reconocimiento a la alcurnia de sus comensales, las paredes estaban llenas de retratos autografiados por personas de dudosa reputación, fotografías que en otra ciudad serían retiradas del ojo público por pura vergüenza. A primera vista esos rostros y esos nombres no decían nada, pero bastaba indagar un poco para enterarse de las atrocidades que habían hecho en su vida esos individuos y por las que eran recordados.

Pero lo que enorgullecía a Lyla Alonzo era para Clara prueba contundente de la fugacidad de lo humano y de sus empeños, de la Historia como una sombra leve pero obcecada. El pasado estaba hundiendo a New Orleans casi desde su misma fundación, desde ese instante perdido en la eternidad cuando sus fundadores cruzaron la línea definitiva entre la salvación y el abismo. Clara detestaba romantizar la violencia, la desigualdad, la exclusión... Otros como Lyla o el mismo Daniel amaban la música, la comida, el ocio, esa cultura del exceso que desbordaba su desfachatez por calles y parques, por esos barrios poblados de negros y latinos que igual festejaban en aparente hermandad o se mataban entre ellos, por esas fronteras jamás declaradas donde la pobreza más absoluta se codeaba sin rubor con las fortunas de las viejas familias, cuyos apellidos estaban unidos a la explotación de azúcar, algodón y seres humanos. Era una ciudad de personajes extravagantes, de alcohol y drogas a manos llenas. Quizás aquí sí se hallara lo que habían estado buscando, aunque por los niños ya no había alcohol en casa –supuestamente droga tampoco.

Lyla se sirvió otro café sin prestarle más atención a los ruidos que hacía Nino. Los otros animales parecían ausentes, aunque el perro debería despertar en cualquier momento para ir al baño. Tomó un largo sorbo y se fue a andar por los pasillos del primer piso, donde Clara acumulaba plantas de follaje intenso bajo las enormes pinturas de Daniel. ¿Tendrían algún valor? Personalmente no le gustaban. Algunas eran verdaderamente extrañas, como esa serie en la que había manchas en el fondo y unas esvásticas mal hechas en primer plano. ¿Qué carajo era eso? Después estaban esos otros cuadros de personas devoradas por la naturaleza: Un árbol que se comía al leñador, un grupo de hormigas a punto de abordar la mano de una mujer... Hasta donde Lyla sabía, Daniel jamás había hecho una exposición ni vendido un solo cuadro. Su arte se acumulaba en las paredes de la casa y en el tallercito del fondo, cuya puerta desde de la distancia se veía abierta.

Salió al fresco de la mañana, quizás lo mejor por hacer en ese momento era poner un poquito de orden, como devolverle al día algún rasgo de normalidad. Pocas veces había entrado en el tallercito, así que no pudo resistir la tentación. Observó con detenimiento el tiradero, vio los bocetos de cuerpos contorsionados y las hojas con palabras. Esta gente está chiflada, le dijo a Nino renunciando a su empeño, dejando ese mundillo oculto tras la puerta.

Estando afuera vio regresar a Clara. Iba a preguntarle por Daniel, pero ella se anticipó con un "Después, Lyla, después". En verdad no sabía qué más hacer, si esperar abajo o subir a los cuartos pretendiendo que todo seguía igual. Finalmente decidió quedarse con Nino, seguirlo a él, responderle cuando se quejara. Clara subió a arreglarse y a despertar a los niños. Ellos comprendieron muy pronto que había un silencio nuevo en la casa. "Papá tuvo que salir de viaje," dijo su madre, "lo llamaron de otra ciudad". Lyla vio a los chiquillos asomarse por la ventana. Insegura de si era lo correcto empezó a saludarlos. "Esta mañana Lyla los va a llevar a la escuela, ¿no les parece fabuloso? Un cambio...", Clara pretendía un tono casual, pero ellos no le correspondieron. Se asearon en silencio, bajaron a desayunar susurrándose quién sabe qué cosas. Al rato escaparon al tallercito de Daniel. Clara los dejó hacer. Llamaron a su padre, golpearon la puerta y las paredes del taller, husmearon alrededor de la vieja *van* como atraídos por un indicio. "No me creen", le dijo Clara a Lyla mientras se servía un café, "pero tampoco van a contradecirme... Los niños siempre saben cuando algo malo ocurre". Lyla no estaba muy de acuerdo, prefería pensar que los chiquillos crecían en una burbuja, jamás con la sospecha de que los adultos les mienten, aunque sea para protegerles de los males que deambulan por el mundo. Miró a los hijos de Clara buscar insistentemente y comprendió que el miedo de un niño nunca resulta fácil de explicar. Es un miedo que carece de suficientes palabras para ser expresado, un miedo no autorizado por la obligación del niño de ser feliz. Lyla, de pie junto a la ventana, veía a esos chicos andar como uno solo por el jardín, repitiendo un nombre no en demanda sino en interrogación. "¿Ven? Yo les dije," llamó Clara. "Otra ciudad, se encuentra en otra ciudad. Vengan adentro, nosotros también tenemos quehacer".

En la oficina la esperaban para una actividad de grupo. Usualmente se realizaban uno o dos ejercicios por año para cumplir con las más recientes teorías de eficiencia empresarial. "Como nueva encargada de sección", le habían dicho sus superiores, "tus responsabilidades ahora son mayores y por lo tanto el entrenamiento va a ser más intensivo". Clara aceptaba los ritos de oficina con resignación, recordando más bien el comentario de la cubana que había conocido en uno de esos cocteles con clientes a los que no se podía faltar. Era una cuarentona rolliza, de pelo claro, casi blanco y sonrisa imposible de ignorar. Habían pasado juntas unas jornadas de motivación y de prácticas de liderazgo, que incluyó como punto culminante una dinámica en la que los asistentes fueron separados en grupos. Cada participante debía subirse a una plataforma a cierta altura del suelo y lanzarse al vacío, mientras el resto de sus compañeros esperaban abajo, con las manos entrelazadas como formando una red, organizados para asegurar que nadie se rompiera el cuello. Fue muy difícil para Clara. La inseguridad y el miedo la paralizaron varios segundos, mientras al pie de la plataforma sus compañeros la animaban, pues querían ganar la prueba. Al final del día, cada grupo recibía un diploma –un cartoncito con sellos y firmas- de distinto color según el número de competencias ganadas. Clara se dejó ir más por un desvanecimiento que por convicción. Aunque era delgada, apenas pudieron sostenerla en el último segundo, cuando Clara se veía de bruces sobre el zacate. Al final, su equipo no quedó en una buena posición porque la cubana se negó rotundamente a lanzarse desde la plataforma. Eso sirvió para que los expositores hablaran por largo rato sobre cómo una empresa no podía avanzar sin un efectivo trabajo de grupo, basado en la confianza mutua y en la certeza de que cada uno de sus miembros cumpliría a cabalidad sus tareas, claro, siempre y cuando éstas hubieran sido expresadas claramente y la persona hubiera sido provista del instrumental y las oportunidades para ejercer tales funciones plenamente. Otra reflexión que se derivaba del fracaso con la cubana era que la empresa no se atrevía a asumir riesgos: el lanzarse de la plataforma podía considerarse también una metáfora de las relaciones con el mercado. Desde esa perspectiva, el miedo a fallar no podía admitirse, principalmente si se contaba con un equipo humano confiable... La cubana se tragó sus comentarios tanto como pudo, mientras algunos miembros de su equipo asentían a cada afirmación del expositor. Finalmente la cubana se levantó furiosa de su asiento: "Estoy harta de ese lenguaje autoritario de los negocios, recubierto siempre con eufemismos como consenso y acuerdo. ¡Mentira! Esto es como estar de vuelta en Cuba. Donde decía *partido* ahora debes decir *organización*; Si allá se hablaba de patria, aquí se habla de empresa. Si allá era el futuro, aquí es el crecimiento, la solidaridad pasa a ser eficiencia... Pero al final de cuentas tenemos la mismas asambleas, hacemos los mismos actos de repudio y los mandos bajos y medios nos organizamos hasta que los mandos superiores nos detienen... En seminarios como éste terminamos haciendo autocrítica y manifestando que siempre hay algo por encima de nosotros que nos da sentido y nos supera: la empresa, la empresa. La diferencia entre uno y otro sistema es cuánta comida hay al final del día. Yo ya no quiero oír más peroratas sobre trabajo en grupo. Como individuo nunca me voy a lanzar al vacío para complacerlos a ustedes, los gurús de la teoría empresarial".

Esa mañana de viernes, después de enviar a los niños a la escuela, Clara tomó el tranvía al centro del ciudad y en el camino volvió a recordar la anécdota de la prueba de confianza. Estaba exhausta y apenas iban a ser las nueve. Al menos los niños habían aceptado irse a la escuela con Lyla. Miraron fijamente a su madre desde la puerta de un taxi, luego subieron sin despedirse. Daniel, por su parte, había quedado en buenas manos. En la sala de emergencias del hospital aún estaba de guardia Ted, un amigo enfermero. Juntos los tres se habían fumado quién sabe cuántos kilos de marihuana y habían tomado toneles de vino a lo largo de una tortuosa amistad.

Pero cuando Clara y Daniel decidieron que ya era suficiente, mejor no seguir abusando del cuerpo, la relación se enfrió. Ted se había alejado sin reclamos, procurando encontrar en otros la misma agudeza mental, la misma fisga, pero al final se había encontrado solo, sumido en su mundo, sin lograr que los deliciosos vicios supieran igual, pues faltaba el placer de despeñarse en grupo, en complicidad, en alegre rebeldía contra la otra ciudad, la de las normas, la de aquéllos que voluntariamente se sujetaban al deber ser. Clara y Daniel habían escuchado historias sobre Ted, todas negativas, cada una señalando la triste condición de los bebedores solitarios, de los viciosos anónimos, esos a quienes las buenas conciencias sorprenden comprando licor tarde en la noche, o entrando sin temor a ser vistos en salas de masaje y saunas. Y después de tanto tiempo, de algunos desencuentros, ahí estaban los tres nuevamente, aunque Clara se sentía incómoda y prefería guardar silencio, aunque Daniel olía a todos los humores del cuerpo y de cuando en cuando emitía un gruñido o soltaba entre dientes una frase incoherente.

Ted le tomó los signos y le dijo a Clara con una sonrisa de complicidad que bien se acordaba de aquellos tiempos mejores cuando no paraban hasta dejar el cuerpo exhausto, como abandonado. "No te preocupes", agregó. "Vamos a sacarle toda la mierda que tiene dentro y en un santiamén estará otra vez en pie".

Clara le agradeció, dijo que estaría pendiente pues no podía quedarse, era su primer día en un nuevo puesto de trabajo.

"Pues te felicito... Tendremos que celebrarlo como corresponde".

Entonces había vuelto a correr: Del hospital al taxi, a la casa, al tranvía, donde el cansancio la sorprendió pensando en la cubana y sus acusaciones. Y cuando bajó en la parada cerca del edificio donde iba a empezar de nuevo, con más responsabilidades, un código de presentación personal más estricto, y unos cuantos empleados a su cargo, se preguntó si realmente se merecía la oportunidad, si no era todo una cadena de malentendidos destinados a hacer colisión ese viernes.

Un poco más tarde, mientras intentaba corresponder amablemente a las congratulaciones de sus compañeros de oficina, volvió a su cabeza insistentemente el comentario de la cubana rolliza y la extraña certeza de que otra vez se encontraba ante un abismo, del cual solamente se podía escapar cortando todo de raíz, marchándose a otra ciudad. Entró a su primera junta de jefes de sección, donde fue presentada por uno de los directores de área como una líder innata, la personal ideal para llevar adelante ciertos proyectos de modernización empresarial, una trabajadora probada una y otra vez en difíciles desafíos. Clara sonrió con la imagen de la cubana aún en la mente, con el vértigo de estar subida en la plataforma pegado al estómago y pensó para sí misma en las paradojas de la vida: aquello que ahora se llamaba valentía para ella no había sido más que miedo, y lo que se declaraba como confianza no había pasado de ser la reacción instintiva de alguien sin salida. Quizás eso era el significado de la valentía: el vacío como única opción.

El director subrayó los atributos que todo buen administrador debía tener y la citó a ella como ejemplo constante. Clara, sin embargo, no pudo recordar si alguna vez antes de esa reunión ellos habían intercambiado una sola palabra. Como si viniera del otro lado de un páramo, oyó la voz de ese hombre proclamando atributos que Clara no consideraba suyos. Luego se dio cuenta que todos aguardaban una réplica. El director insistió: "A ver, Clara, díganos algo, cualquier cosa que nos permita conocerla mejor. Cuéntenos una anécdota".

"Vivíamos mi familia y yo en otra ciudad", respondió sin pensarlo, sin saber adónde iba, "en una casa muy pequeña junto al estacionamiento de una iglesia bautista. No me gustaba ese parqueo porque era oscuro y muchas veces entraba gente a negociar droga o a hacer sus necesidades. Puntualmente a las cinco y media me despertaba una familia a con su perrito faldero. Al animal lo acompañaban un niño con su papá o su mamá, según el día, vestido ya desde tan temprano. Y siempre el niño se ponía a hablarle al perro, a rogarle que hiciera sus cosas. Los padres no decían nada, como si estuvieran ausentes Era algo muy personal entre el niño y el perro, aunque más bien era algo solo del niño, de su insistencia, su monotonía para que el perro lo complaciera de ese modo tan extraño... Una noche yo estaba sola con mis hijos, mi esposo visitaba a su madre en un hospital muy lejos. Aún estaba muy oscuro cuando oí unos gritos de mujer. Eran horribles, desesperados. Ella no decía nada, solamente hacía esos ruidos como si estuviera defendiéndose, aunque sin esperanza. Yo desperté, pero no por completo. No quería despertar y asomarme al callejón y hallar allí a la mujer muerta o mal herida o violada. Tuve miedo. Me envolví en las mantas con desesperación y caí en un sueño desasosegado, lo fue tanto que no oí el despertador y todos llegamos tarde a nuestras tareas. Solamente cuando salí con los niños me animé a asomarme al estacionamiento. En apariencia no había nada, y por unos segundos me dediqué a buscar alguna evidencia, como una mancha de sangre o un trozo de tela... Unos meses más tarde —en esta ocasión mi esposo Daniel estaba durmiendo a mi lado— como si fuera la misma circunstancia de la otra vez, un hombre y una mujer entraron al estacionamiento. Discutían amargamente, él le gritaba mentirosa y cosas peores. Ella, quienquiera que fuera, le pedía al hombre que escuchara, pero él estaba fuera de sí, no le hacía caso. Desde mi cama escuché los reclamos. Mi esposo, por el contrario, ni siquiera sintió el ruido. Estuve a punto de mirar por la ventana, pero me detuve porque una idea rara se me ocurrió: lo que estaba escuchando era el principio de lo que había ocurrido la primera noche, el preámbulo de aquella situación tan horrible que hizo a la mujer gritar como último recurso. Por alguna razón el tiempo se había invertido y primero me había hecho ser testigo del final de la historia..."

El director necesitó todavía unos segundos para reaccionar y dirigirse a la audiencia, que no soltaba ojo sobre Clara: "Muy bien, pasemos al primer tema del día".

A veces, quizás siempre, los días de gloria esconden una agobiante tristeza. Terrible y sutil a la vez, se te viene encima a la primera oportunidad, sea en ese respiro casi imperceptible que separa las adulaciones, en el silencio mezclado entre los aplausos, o en el final de todo, cuando vos creés que ya es hora del descanso, de poner los pies sobre la tierra y seguir adelante. Esa mañana de viernes, después del taller de trabajo, Clara se encerró en su nueva oficina. Finalmente había dejado el salón repleto de cubículos y ruido. A cambio le habían asignado un cajón sin ventanales. Para iluminarlo, arriba en el cielo raso había una especie de tragaluz de acrílico sucio por la humedad, una manchas que le hacían imaginarse a Blanca un monstruo deforme y vigilante. Al otro lado de esas paredes estaba el aire de ciudad, probablemente una vista sobre el río, el puente hacia uno de los barrios de orientales y hacia el primer asentamiento de New Orleans, ése que fue arrasado por el fuego mucho tiempo atrás y adonde ahora convivían horribles apartamentos para pobres con los galpones donde se construían las carrozas de carnaval. Por la oficina se acumulaban documentos por clasificar, recogidos a prisa cuando hizo la limpieza de su cubículo. Clara tenía en mente tres categorías: "indispensable", "útil" y "basura". De corazón ansiaba poner todo en esta última.

En el mundo de la pequeña oficina colapsaban el principio y el fin de todo. Si algún extraño viera a Clara así, con la mirada perdida tras ese escritorio, seguramente se confundiría: ¿Quién era esa mujer tan abatida? ¿Acaso una recién llegada a quien ya le abruman las expectativas y las dudas? ¿O más bien se trataba de una de esas funcionarias curtidas a punto de dejarlo todo después de años batallando contra la rutina y las decepciones? Si se fuera en ese momento todo sería fácil, no más dejar el desorden tal cual estaba y olvidarse de su carrera, del salón con los cubículos, de la ansiedad de subir otro escalón más o del deseo de conseguir finalmente una oficina con vista al río, como a ella le gustaba. La oficina con ventanales podría significar el mismo cielo, no tanto por tener cada jornada ante sí al majestuoso Mississippi, sino porque la ambición muchas veces se agota en lo meramente simbólico. Hasta el momento nadie había entrado a felicitarla, menos aún a ofrecerle ayuda con el desorden. Así era el poder, ¿no?, una dosis de soledad por cada una de triunfo.

Y así sentada, en medio del caos, Clara sintió deseos de fumar, de tomarse una copa, de lanzarse a conquistar la siguiente ciudad, no aquélla que le ofrecía esta empresa de cubículos y oficinas sin vista sino la otra, abierta a los sueños, al disfrute de lo fugaz. Estaba sedienta de todo, pero a mano no tenía más que una pila de documentos y, de pronto, una sombra que se había colado sin llamar a la puerta. No recordaba que hubieran llamado, ni que ella hubiera dado permiso a nadie de entrar. Pero ahí estaba el director interrumpiendo su amago de rebeldía. "¿Contenta con su nuevo espacio?", le dijo. Iba a contestarle que no estaba satisfecha, para estarlo requería suficiente luz natural, plantas, la presencia del río. Para se feliz necesitaba mucha libertad, a pesar de sus consecuencias. Entonces suspiró profundamente y respondió: "Sí, todo está muy bien". Sonriendo, el director hizo algunas reminiscencias de lo que esa oficina representaba para él, pues al principio de su carrera también le había correspondido trabajar ahí. Los recuerdos lo condujeron a su filosofía del éxito personal: "Desde abajo, así es el comienzo, pero siempre se debe tener la vista puesta en lo más alto. ¿Y sabe una cosa, Clara? La mayoría de la gente no puede mirar más allá, a veces ni siquiera lo que hay al otro lado de su escritorio. Pero yo pienso que usted es diferente, tiene usted unos valores muy especiales, una capacidad para oír a los demás, ¿usted me entiende? Vendrán muchas horas de sacrificio, largas jornadas con mucho estrés porque la expansión de esta empresa es imparable, y una vez a bordo de este tren su propia fuerza y velocidad nos lleva cada uno adelante, incluso contra la voluntad de algunos, ¿usted me entiende? Algunos se resisten, pero no se preocupe, Clara, aquí estamos para apoyarla..."

Se quedaron una eternidad en silencio, Clara con los brazos apoyados en las rodillas como si se hubiera detenido en el momento de recoger algo, el director contra la puerta, bloqueándola. Finalmente él dijo: "Respecto a la reunión de esa mañana..." Clara giró la cabeza buscando sus ojos. "Quería ser honesto con usted... sean lo que sean sus problemas personales, por favor no los traiga a la oficina. Déjelos, como quien dice, en esa otra ciudad de su historia..."

Aunque no estaba en sus planes, Clara decidió salir temprano de la oficina. En todo el día no había tocado ninguno de los documentos amontonados en una esquina de su escritorio. Tampoco había hecho nada para poner orden en el tiradero traído de su cubículo, ni para darle a la oficina el supuesto aire personal que para muchos era símbolo de posesión del espacio, ese primer acto del conquistador que planta bandera y reclama para sí el territorio que otros alguna vez ocuparon. Sí había tomado nota de algunos pendientes, en especial hacer un par de llamadas a funcionarios de otras dependencias, pues aparentemente se estaba gestando un conflicto y debía adelantarse a los acontecimientos. Regla número uno del éxito: cuidarse las espaldas.

Decidió hacer uso de sus nuevas prerrogativas. Dejó un recado en la contestadora de la secretaria –no podía llamarla así, pues en la normativa institucional se había eliminado el término "secretaria", y quienes alguna vez lo fueron habían pasado a llamarse "asistentes administrativas" –tomó sus cosas y salió por el pasillo central rodeado de cubículos. No quería que nadie se enterara de su partida, pero todo parecía estar dispuesto para que ocurriera lo contrario. Clara sintió las miradas y los cuchicheos, y tuvo que armarse de valor para llegar a la escalera sin voltear, pretendiendo que la repentina tormenta de envidia realmente no existía. Se dijo a sí misma "no voy a regresar", y hubo de repetírselo otra vez cuando subió un taxi y le dio al chofer la dirección de la escuela de los niños.

Al llegar vio a Lyla al otro lado de la calle, sentada en un banco del parque a la sombra de un roble. Se había vestido como de domingo, con un gran sombrero para protegerse del sol y un vestido rosa adornado con una magnolia de seda a la altura del pecho. Con un abanico repleto de encajes le hizo un gesto de bienvenida a Clara, luego sacó un pañuelito blanco para secarse el sudor de la cara.

Clara pensaba decirle que a partir de ese momento iba a hacerse cargo de los niños, pero Lyla no le permitió ni siquiera empezar. Le abrió espacio a su lado, la tomó del brazo y le contó algunas confidencias sobre personas del barrio, incluyendo el chofer del taxi. A ése lo conocía muy bien, un descendiente de negros libres. Sus antepasados fueron emigrantes del Caribe, de Haití para ser precisos, hombres de negocios que se asentaron entre la ciudad y el lago, cuando hacia el norte de la avenida Esplanade vivían los hijos de españoles puerta a puerta con las familias de color llegadas de Las Antillas. Por otra parte, al sur de la avenida se encontraban los indeseables, los pobres, los otros recién llegados a quienes muy pocos respetaban. "¿Sabe usted quiénes eran esos descastados, Clara? Pues los irlandeses. ¿No le contó el taxista su historia? Muy raro, si ese hombre habla hasta por los codos".

Clara no hubiera podido ni siquiera describir el rostro del taxista. Había hecho el viaje en un estado de olvido de sí misma y de cuánto le rodeaba, como si la ciudad a su alrededor hubiera quedado suspendida, sin ese minuto inminente, sin la próxima esquina, sin otro evento que no fuera avanzar.

Ante la pregunta de Lyla procuró recordar, pero todo se había vuelto difuso, como si los sucesos más recientes hubieran ocurrido años atrás o en la lejanía de otra ciudad. "¿Ha sabido algo de Daniel?" Lyla parecía hablar con una voz igualmente dispersa en la distancia y el tiempo. "He estado pensando en él todo el día". Y aunque sí había escuchado de su esposo, Clara no respondió. En algún momento de esa jornada sumida en una multitud Ted la había llamado con noticias: "Le hicimos un lavado rápido y le sacamos bastante del estómago, pero nada del otro mundo. Logramos que reaccionara y tiene los signos estables. Vas a poder verlo esta noche, si quieres, y en no más de dos días te lo podrás llevar como nuevo a casa". Luego se había dedicado a contarle su historia, por dónde se había extraviado en los años recientes, cuándo los extrañaba a Daniel y a ella, y las ganas que tenía de una cena juntos. Clara, como en sueños, le había agradecido sin prometerle nada, pues en ese momento, quizás en la oficina, o bajo el sol de los veranos eternos del Sur, o en el taxi del hombre imposible de recordar, se estaba alejando de sí misma, el corazón intentando responderse si era tiempo para hacer las maletas de nuevo y marcharse a otra ciudad. Daniel, a su modo, había hecho un intento tomando quién sabe qué substancias. Pero en esta etapa de su vida ella no podía, tal vez porque las otras ciudades ya no eran un destino sino algo que se cernía sobre ella, sobre su cotidianeidad. Las ciudades iban perdiendo su certeza, su materialidad, se transformaban en algo inefable, inasible, pero absolutamente presente. Y todos los días, comprendió Clara, uno va pasando de ciudad en ciudad, va entrando a otros lugares aún sin darse cuenta, va dejando atrás paisajes aún contra su voluntad... Así, poco a poco, Clara pudo rehacer los recuerdos del taxi rumbo a la escuela. Había decidido que ya era bastante, que estaba harta. Si Daniel quería largarse, podía hacerlo, a fin de cuentas los seres humanos siempre pueden volver a ser libres. Había decidido esperar a que él recuperara la cordura para sentarse a hablar y ser muy franca. Le iba a decir que podía marcharse a otra ciudad cuando quisiera, aún si en su decisión permanecía en casa. No le iba a permitir, eso sí, que los arrastrara a ella y los niños. Cualquier viaje tendría que hacerlo solo, como ella lo estaba haciendo con sus recorridos por los espacios de asfalto y concreto, madera e historia, gente, tantas gentes.

Lyla comentó algo sobre los robles del parque. Todos los años soltaban un polen grueso y pesado que se acumulaba en capas mullidas como alfombras. Eran los robles los que anunciaban el cambio de clima, el paso entre una estación y otra. Lyla sacó de su bolso un pequeño termo, dos tazas y una botellita de coñac. Sin preguntarle a Clara sirvió café para ambas. Fue bebiendo del suyo lentamente, saboreándolo con un placer contagioso. Luego soltó una risita y se tapó la boca.

"Usted va a pensar que estoy loca, pero me acabo de acordar de una desgracia que me parece muy graciosa. Le pasó a mi amiga Zoila. Ella es de Honduras, negra retinta, casada con un tipo de por aquí, muy orgulloso de su herencia americana, aunque para pagar las cuentas y la comida sobrevivían con una pequeñísima tintorería allá por Mapple Street. Pues el marido la tenía esclavizada en el negocio. Zoila hacía de todo y no podía salir si no era a escondidas, con mentiras. Yo le aconsejaba que se fuera, tenía que solucionar esa situación de forma radical. ¿Sabe lo que hizo? Esta mañana llegó a la tintorería a las seis, como siempre. Apenas el marido se fue, le echó pintura a toda la ropa, menos a un blazer que yo debía recoger como a las once. Luego desapareció. Yo llegué sin saber nada y el marido estaba absolutamente fuera de sí, con los ojos que se le salían de la furia, y colgadito junto a la caja registradora encontré mi blazer muy bien lavado, perfecto..."

Clara brindó por la hondureña. Había reído al escuchar el cuento de Lyla, y ahora se sentía relajada, agradecida de lo bien que se estaba sintiendo bajo los robles. Vio a los niños salir de la escuela, pero no los llamó. Quería dejarlos un

Dos

papá recién llegaba con los comestibles del día y, aunque también se estaba quedando sordo, aún podía oír lo que le interesaba. "Un día de éstos decidí preguntarle directamente si ya no veía", continuó luego de otra pausa, seguro para asegurarse que mi papá no se hallaba cerca. "Como te podrás imaginar no me contestó con un 'sí' o un'no'. Se puso bravo, me dijo que lo dejara tranquilo, que no fuera metiche. ¿A vos qué te parece?"

Creo haber respondido con una mezcolanza de resentimiento y cansancio. Seguidamente le ofrecí apoyo incondicional a mi madre, pues si era cierto que el papá se estaba quedando ciego la responsabilidad de la casa y de la relación recaería al cien por cien en ella. En aquel momento en mi vida, apoyo significaba principalmente dinero, el que pudiera rescatar de una vida desordenada, deambulando de aquí a allá por ciudades y pueblos de Estados Unidos. Mi mamá ya no tenía claro exactamente dónde yo residía, y a sus amistades les hablaba más bien del lugar desde donde le había hablado la última vez. Ella trataba de explicar(se) mi comportamiento en términos de su falta de educación. Le decía a la gente que no podía recordar el nombre del sitio donde yo me encontraba porque nunca aprendió bien geografía en la escuela. "Los Estados Unidos es tan grande", solía justificarse. "Una ni se lo imagina".

Mi madre venía de un pueblo tan pobre que en la escuela ni siquiera tenían un buen mapa de América. El único a disposición de los alumnos estaba rasgado en varias partes, y el maestro apuntaba con su temible regla metálica el vacío y les pedía a los niños que imaginaran los territorios faltantes, sus riquezas, sus gentes. Sin embargo la verdad podía ser otra: Mi madre pocas veces había salido de Cartago, una ciudad pequeña entre montañas, donde las nociones de distancia eran muy particulares. Fuera de los límites de Cartago todo parecía estar aterradoramente lejano. Unos cuantos cientos de kilómetros conducían inevitablemente a otro país, es decir a ese extremo del mundo donde todo era diferente y amenazador.

Cuando era niño yo mismo sentí esa sensación de extravío, hasta que leí algunos libros, le creí a las películas y conocí gente que tenía otras experiencias. Esas personas me enseñaron a soñar con espacios que yo apenas podía entender, pues me faltaban imágenes, sonidos y sabores. Después crecí y me harté. Las hermosas alturas alrededor de mi ciudad empezaron a asfixiarme y un día vendí mis discos, un viejo pickup que adoraba, unos aretes de oro que pertenecieron a mi abuela, y me subí a un avión sin contarle nada a nadie. No hubo ceremonia de despedida, ni deseos de buena suerte. Mejor así.

Horas después estaba en Los Ángeles, tan lejos de todo que la idea de distancia se fue deshaciendo rápidamente en su propio absurdo. Llegué, como la gran mayoría de los indocumentados, por la puerta grande de un aeropuerto, con una visa que me daba unos meses de libertad para explorar mis sueños y tomar decisiones. Le dije al oficial de migración que apenas le entendía... Yo ¿Yo? ¡A los parques de diversiones! ¿Yo? Mall. ¿Entiende? Shopping... Al rato crucé esas puertas que se abren como por encanto, que separan el mundo aséptico y refrigerado del aeropuerto de la ferocidad de la calle.

Aún era noche cerrada, pero al otro lado de los cristales del aeropuerto algo bullía, algo terrible y hermoso como el cuerpo desnudo de un desconocido. ¿Era eso Los Ángeles? ¿Acaso esa multitud congregada en el aeropuerto? Se apiñaban ahí todas las voces, todos los aspectos físicos, todas las actitudes. Había miradas ansiosas, tristes, alegres, indiferentes, oscuras. Vos salías a los ruidos, mi mama, pues los ruidos te recibían al otro lado de la puerta antes que el calor o el frío de la estación. Algunos eran inmediatos, como los murmullos y gritos de las personas, o los avisos de los altavoces, o los vehículos en su ir y venir. Otros sonidos surgían del fondo, de la noche misma, como el rugido de un animal oculto que merodeaba en algún rincón imposible de señalar. La bestia que es Los Ángeles nunca duerme, no te acoge ni te expulsa ni te promete nada, sólo está.

111

Sí, de repente ésa era Los Ángeles. Amanecía en tonos grises, el rugido de fondo se volvía más intenso. Y yo estaba allí con la dirección del amigo de un amigo en la mano y una extraña sensación en las tripas, no tanto de miedo como de vértigo. Me había esfumado de todo, desvanecido como ocurre con ciertos recuerdos, y esa posibilidad de ser un espectro me causó un delicioso estremecimiento. Ahora solamente tenía dos retos: sobrevivir y explicarle a mi madre mi partida.

La ciudad, aparentemente interminable, en algún momento se topaba con el mar. Tomé varios autobuses, no cualesquiera sino aquéllos que me llevaran al oeste. Según me habían dicho, en esa área encontraría los parques donde los indigentes dormían. Eran amplias extensiones llenas de palmeras, con senderitos de cemento bordeados de arbustos. Los indigentes le daban un aspecto ruinoso, destruían el césped, echaban a perder las fuentes de agua y los baños públicos, donde además dejaban las paredes repletas de mensajes sin destinatario preciso: reclamos, invitaciones y proclamas a quien quisiera leerlas; dibujitos obscenos, garabatos sin sentido aparente, nombres, muchísimos nombres... Esas zonas de mendigos eran territorios libres. La policía solamente entraba cuando había incidentes, aunque siempre de noche una patrulla vigilaba desde cierta distancia. De cuando en cuando un fuerte haz iluminaba los arbustos, las cajas de cartón acomodadas como féretros sobre las bancas, los bultos escondidos entre las plantas. De cualquier modo, esos hombres y mujeres eran invisibles. Bajo la luz del día ni los oficiales, ni quienes iban rumbo a la playa, ni quienes paseaban o hacían ejercicio en los bulevares eran capaces de verlos. Solamente existían para algunas iglesias, cuyos voluntarios llegaban por las tardes con mensajes de salvación y comida. Los mendigos también éramos parte de un paisaje móvil para quienes nos necesitaban como objeto de estudio, principalmente investigadores de las universidades. Venían en grupo con sus estudiantes y se iban parque adentro a encontrar quién contestara algunas preguntas a cambio de dinero, o se dejara tomar muestras de sangre o hacer un examen físico cuyos resultados nunca nos eran notificados. Objetos de ciencia o simplemente objetos, de eso no pasábamos. Ahí, en el parque frente al mar, podría instalarme mientras me orientaba para encontrar al amigo de mi amigo.

Hube de competir con los mendigos. Había un largo paseo peatonal donde nos tirábamos a pedir limosna. Algunos tocaban guitarra, otros hacían figuritas de papel, otros rogaban compasión como buenos actores. Yo me dejaba caer al piso con un torpe rótulo, *No Talents*, casi colgándome de las manos. Y quizás por la sencillez del mensaje, o porque parecía más invisible que los otros, o simulaba mejor la sinceridad, las personas me daban algo de dinero, lo suficiente para malvivir en el parque y llamar a mi madre cada sábado a las diez. "¿Estás dónde?", preguntó incrédula. Para ella no resultaba extraño que yo hubiera desaparecido. A veces lo hacía por una noche o dos; en otras ocasiones no volvía en semanas, pues me había marchado simplemente por el impulso de explorar mis propias posibilidades, o siguiendo el rastro de un aroma a hombre. "Los Ángeles, ¿cómo así?" Su voz se había sumido de repente en una soledad sin posibilidades de alivio, entre la perplejidad y la rabia, entre el desamparo y el temor. Supe que mi madre iba cayendo vacío abajo, y que por muchos días no haría otra cosa que seguir descendiendo, arrastrada por mi ausencia. "¿Y qué a ser de nosotros, así sin usted?" Traté de calmarla con todas las frases hechas que se me vinieron a la cabeza, pero los dos sabíamos que no había respuesta alguna. Al final nos habíamos perdido, y de ahora en adelante cualquier gesto significaría algo distinto, cada palabra tendría nuevos sentidos, nuestros lazos habrían de rehacerse a punta de desencuentros y reconciliaciones.

De ese modo me fui quedando en Los Ángeles, la ciudad inabarcable. "Buscá a ese mae", me había dicho mi

113

amigo. "Tener a alguien conocido en tierra extraña es como una ventana en un caserón abandonado: Aunque sea incómoda te permite entrar. Una vez adentro, entre el polvo y la soledad no vas a encontrar cuartos sino una red. Seguila, subite a ella y la red te llevará a algún lado". Al cabo del tiempo encontré una casa llena de ticos, unos treinta, viviendo estrechamente, cocinando en una plantilla de gas, hablando del futbol dominical y de la política como si aún pudieran asistir al estadio y vivir lo que ocurría a miles de kilómetros de distancia. Estaba en un barrio malo, de calles sucias y pintas en las paredes. No era, sin embargo, de los peores. No, ésos se encontraban ciudad adentro. Podías identificarlos por el tipo de graffiti, esos códigos desplegados a lo largo y ancho de los muros y aceras. La mayoría de nosotros no entendía el significado de las pintas. No era necesario, bastaba saber que te encontrabas en territorio reclamado por alguna pandilla, y si podías era mejor largarse cuanto antes. Si no podías, no quedaba más alternativa que negociar los términos de tu sumisión a la violencia.

La lógica indicaba que la casa de ticos era lugar de paso, por lo que algunas mañanas aparecían caras nuevas, en tanto las de ayer desaparecían. "Hoy estás; mañana, no", me había explicado el amigo de mi amigo. "Tuyo es el catre que te han alquilado, nada más. Irte es tu destino. No debés apurarlo, pero tampoco dormirte en los laureles". A mí me daba pereza estar presentándome a los recién llegados y decirle adiós a quienes se marchaban. Detestaba el futbol, los chistes repetidos una y otra vez con leves variantes, la insistencia de que no hay nada mejor en el mundo que lo peor que se ha dejado atrás. Yo no hablaba mucho. Mi silencio no era bienvenido, pero al menos respetado.

Prefería estar en las calles, conseguir un trabajo, fuera éste lo que fuera: limpieza de jardines o edificios, construcción, lo que fuera. Permanecía atento durante los largos recorridos en autobús, en ruta hacia las esquinas que tenían fama de seguras y donde nos reuníamos a esperar el trabajo del día. Así anduve entre gente de muchas partes, rostros que a veces reconocía, rostros que a veces creía reconocer. Pero yo estaba en lo mío, tan callado y al mismo tiempo alerta de lo que pasara alrededor. El amigo de mi amigo me había enseñado a desconfiar, pues cualquiera de esas personas que aguardaban la oportunidad de oro podía ser un agente encubierto, un oficial listo para guiarte hacia una trampa que significaba largos meses en esas cárceles donde no había nombres, ni luz, ni esperanza. Luego te presionaban para obligarte a firmar papeles en los que renunciabas a tus derechos, o debías sufrir largas comparecencias ante los jueces. Al final de cualesquiera de los caminos vendría la deportación.

Pero también entre los desconocidos podía estar esa persona que el destino en ocasiones te ofrece. Si ese alguien finalmente iba a reconocerme en la inmensidad de Los Ángeles, yo debía estar listo. Tal vez deseaba tanto esa oportunidad –no se la confesaba a nadie excepto a mi madre, con quien hablaba desde los teléfonos públicos usando las tarjetitas que compraba en las estaciones de gasolina– que tuve que provocarla, incluso a pesar de los riesgos. ¿De qué otra manera se llega al final del camino? Una tarde volvía del trabajo hacia el bus stop cuando me pareció escuchar que me llamaban desde un carro. El chofer hacía sonar el claxon y se dirigía a mí con palabras que yo apenas podía entender. Se detuvo un poco adelante y me asomé por la ventanilla, aunque mi inglés y mi conocimiento de la ciudad no me hubieran permitido orientar al conductor en caso de que estuviera perdido. Pero no era así. El desconocido me invitaba a subir al carro, a irme con él. Yo aún estaba sucio después la jornada de trabajo, con una camiseta rota y un viejo casco repleto de magulladuras, pero así me quería el hombre. *"Yo gusto tú"*, dijo varias veces para convencerme de subir al carro. Mencioné una cantidad de dinero, él aceptó con una inclinación de cabeza. Entonces subí y le hice una señal para que avanzara.

El hombre hablaba sin respiro, asustado, me parece. Hablando engañaba a sus temores y al mismo tiempo le abría paso a la excitación de tener cerca a ese objeto que era yo. Por mi parte, en esas circunstancias prefiero saborear lo que mi cuerpo y mi corazón me dictan. Sí, estaba un poco nervioso, pero simplemente me dejaba ir, aceptar mi suerte. El corazón me palpitaba un poquito más rápido, a la vez creía oír con mayor claridad todo, desde el tráfico hasta el roce de un papel contra el asfalto. A la cháchara del hombre le respondía con una mirada. Nuestro único juego se daba cuando pretendía quitarme el casco y el hombre, hablando aún más rápido, me indicaba que no. Levantaba su mano como para volver el casco a su lugar, pero no se atrevía a tocarme, así de inmensa era la soledad a la que se había acostumbrado a vivir.

Llegamos a uno de esos moteles de camino como los que salen en las películas. Probablemente construido en los cincuentas, sus épocas de gloria se habían acabado décadas atrás, y ahora mostraba con descaro su decadencia. Aún así era mucho mejor que algunos lugares de paso que había conocido en San José, especialmente en los alrededores de ciertas estaciones de autobuses. Allá tenían un aire siniestro, una promesa de peligro que los clientes habituales quizás no podían percibir, pero que para mí eran parte indispensable de la aventura. Los moteles de acá habían perdido todo: el brillo, el misterio, la rebeldía contra las reglas. ¿Sería por eso que había tantos asesinatos en este tipo de locales?

Ya en el cuartillo, le indiqué al hombre que deseaba ver el dinero. Me mostró unos billetes, pero los puso de nuevo en su cartera mientras decía algo y se llevaba la mano al corazón. Después empezó a quitarse la ropa. Yo también lo hice y me eché en la cama. El hombre apiló las almohadas encima de una manta que había encontrado en el clóset, de tal forma que yo quedara reclinado. Ya desnudo parecía muy frágil, demasiado blanco, el cuerpo hecho a las exigencias de una oficina, con una barriguita que contrastaba con los huesudos hombros. Me pidió permiso para besarme. Lo dejé, pero no en la cara. Me fue acariciando sin prisa, buscando dónde mi cuerpo reaccionaba. La caricia me trajo recuerdos. La memoria se activó no solamente en la piel, sino en los olores de otras épocas, cuando no pensaba en el futuro porque el futuro siempre estaría allí, de puertas abiertas, esperando. Entonces tener sexo era crecer, acercarse un poco más a ese mañana lleno de sensaciones, de un bienestar surgido de la nada, dispuesto a nuestros pies. Yo me acostaba con alguien en ruta hacia el futuro mientras el presente no pasaba de ser un tránsito. Por eso estaba ávido de aprender, de acumular un cuerpo más en mi viaje hacia otros territorios, hacia otros cuerpos, hacia todos los cuerpos.

En el motel yo estaba tan solo como el desconocido que tenía prendido de mí. Quizás por eso el pasado se fue diluyendo en otras sensaciones, o más bien en lo inmediato, en lo que ocurría justo en ese momento, entre dos hombres que se habían encontrado en la calle. No había otra cosa más allá de nuestra respiración, de los ruidos y exclamaciones que espontáneamente surgían. El afuera intentaba invadir el cuarto con sus demandas: pasos al otro lado de la puerta, un televisor a todo volumen, alguien hablando a gritos, luego un silencio, luego más gritos. Aquí en el cuartillo, el placer que ese hombre me daba carecía de memoria y era bueno. El placer palpitaba piel adentro reconciliándome con el mundo, consumiendo las incertidumbres hasta no dejar de ellas más que unas cuantas cenizas dispersas. Y el placer provocaba cierta textura en nuestra piel, una transpiración sutil que la hacía brillar, una tensión muscular que nos volvía más bellos. Finalmente me vine y creo haber entrecerrado los ojos por un instante, pues cuando de nuevo volví a percatarme de donde estaba —como si por esa fracción de eternidad hubiera perdido contacto con todo que no fuera placer —el hombre me estaba mirando fijamente, como guardando la imagen para un recuerdo posterior, ojalá uno muy hermoso. Su rostro se había transformado también. Tenía colores más intensos, una agitación distinta a la ansiedad de cuando nos topamos en la calle. Se mordía los labios, tal vez frustrado porque algo debía ser dicho en ese momento y ni él ni yo teníamos la capacidad de manifestarlo, de hacerlo entender. O quizás trataba de contener ese beso que aún yo no le había permitido. Luego se incorporó sobre la cama, me pidió permiso para abrazarme. Yo le dije que no.

   Se llamaba Billy. Cuando me dejó en la esquina donde me había recogido horas atrás apuntó su nombre y un número de teléfono. Me dio el pedazo de papel mientras repetía como un ruego: "Call me any time. Is that OK, babe? Do you understand? *Ya- ma-me...* ¿Entiendo?" Yo le agradecí: "Sí, te llamo pa' tras". Su letra era insegura, torpe. Cuando me bajaba del carro me retuvo por el brazo para hacerme una pregunta. "Marcos", le respondí. "Markus", dijo él, "Mark, you're Mark". Billy volvió a morderse los labios, luego soltó un "hasta la vista" con acento fortísimo, como lo había aprendido después de ver muchas veces las películas de *Terminator.*

   Billy y yo nos seguimos viendo a lo largo de algunos meses. No sabría decir si nos queríamos, nunca lo he sabido con nadie. En mi relación con Billy, además, estaba de por medio el pago de un servicio, cada vez más a su gusto y según sus necesidades, por lo que la palabra *amor* no parecía ajustarse muy bien, al menos si uno lo veía desde la perspectiva que enseñaban en casa, en la iglesia, en la escuela y hasta en los periódicos. A menudo yo pensaba en él con cariño, en los detalles con lo que intentaba halagarme, en las cosas que iba aprendiendo sobre su pasado, una vida anclada en relatos de niñez en un pueblo de apenas quinientos habitantes, casi nunca en el diario vivir, ni en la ciudad de Los Ángeles. Me hubiera gustado conservar una foto suya, al menos saber dónde vivía, pero esos no eran temas de conversación. ¿Nos queríamos? Quizás, pero también teníamos muy presente que lo nuestro era una transacción beneficiosa para ambos. Por eso

Billy recibía toda la atención, y por el contrario yo casi nunca hablaba de mí mismo, ni Billy parecía entender cuando yo mencionaba Costa Rica y mi propia historia. En nuestros encuentros había una llamada telefónica, un lugar donde yo debía esperarlo, un monto que Billy nunca me entregaba directamente en las manos, sino que aparecía discretamente en el bolsillo de mis pantalones, sumas que ya no necesitábamos discutir pues el menú de servicios y precios ya era suficientemente conocido.

Pero tal vez Billy me amaba incluso más allá de lo que yo admitía entender. Una noche, después de cenar en un *diner* –no era muy refinado en sus gustos, así que no pasábamos de *burguer joints*, restaurantes chinos o taquerías callejeras, lugares de los que yo desconfiaba –empezó a jugar con un pequeño sobre. Con los dedos medio e índice se inventó un jugador de fútbol que corría desordenadamente por la mesa entre servillas sucias, migas de pan, gotas de refresco, y que de cuando en cuando empujaba el sobre hacia mí. Yo me había cruzado de brazos, no muy seguro de la actitud correcta en esas situaciones. Cuando tuve el sobre al alcance de la mano, Billy me indicó que lo abriera.

"A present", dijo con voz muy suave.

"¿Estamos celebrando algo? A celebration?"

Billy se encogió de hombros.

El sobre contenía una tarjetita azul, con mi nombre y un largo número entre dos columnas como de iglesia. Una especie de viga cruzaba la parte superior de lado a lado. Sobre ella estaban impresas las palabras "Social Security".

Billy abrió una libreta. Luego de aclararse la garganta con un sorbo de gaseosa empezó a leer. Seguramente había repasado la lectura por horas, y aún así apenas podía darse a entender: "Ahora tú es alguien en esta país. Con seguro social number poder pedir una conductor's licencia y ser libre... Welcome to America, babe"

119

Dejé caer la tarjeta sobre el mantel sucio, no podía sostenerla. Levanté las manos para mirar cómo temblaban. Eran unas manos ajenas, porque las mías nunca me traicionaban, jamás habían puesto al descubierto mis debilidades. Cuando estaba a punto de empezar a agradecerle, Billy hizo un gesto demandando silencio. Se puso a comer con calma, como nunca antes lo había hecho. Cortaba trocitos de pan como para un niño, bebía la gaseosa ceremoniosamente, me miraba desde una distancia nueva para mí. Probablemente dijo algo así como "cualquier agradecimiento después, en la cama", o al menos eso quise entender. "Come la cena, Markus". ¿Pero cómo podía comer tranquilo? El temblor en las manos no cesaba y no me sentía alegre sino en pánico, tal vez porque la relación entre Billy y yo estaba dando un giro demasiado dramático. Nunca más podría decir que todo malentendido quedaba saldado cuando Billy dejaba como por olvido unos billetes en el bolsillo de mis pantalones. Ahora le debía algo cuyo valor era imposible calcular. Ese papelito azul escondía una cadena de secretos, desde las influencias de Billy hasta la posibilidad de que me estuviera tendiendo una trampa. Yo jamás le había pedido nada, ni soñaba un futuro con él. Nunca le había mentido, en parte porque nuestras conversaciones eran tan primitivas, basadas en frases y palabras sueltas, en gestos, dibujos y sobrentendidos. ¿Se puede mentir cuando no sos capaz de expresar plenamente aquello que está dentro de vos? Si alguna vez pensé en Billy, lo hice porque él era algo inmediato y concreto. Sí, en cierta forma la tarjetita azul me liberaba, pero a la vez me oprimía de un modo hasta entonces desconocido. Entonces me di cuenta que las manos me temblaban de rabia, que mis músculos estaban tensos porque no podía lanzarme al cuello de Billy, apretarlo y apretarlo hasta que él ya no pudiera respirar y sus huesos se astillaran. Me estaba comprando con esa tarjetita que yo no podía rechazar. ¿Qué vendría después? ¿Un apartamento? ¿El control de mis llamadas, de mi paradero? Finalmente pude comer, no mucho, pero sí lo suficiente como para ir recuperando la calma. Bebí mi refresco, puse atención cuando Billy volvió a hablar y sus temas fueron los de otros encuentros. Después nos fuimos al motel e hicimos el amor como nunca antes, con mutua generosidad. Hacia las seis de la mañana me dejó en la esquina acostumbrada. Tomé el bus, casi vacío porque era sábado y a esa hora los pasajeros eran sobre todo trabajadores de los turnos de noche. Muchos dormitaban recostados a la ventanilla, otros conversaban de cierto partido de béisbol en televisión. Unas señoras se recomendaban remedios caseros para combatir el insomnio de los niños.

Bajé dos paradas antes de la mía. Di algunas vueltas por si acaso Billy me venía siguiendo. Después recogí mis cosas y salí de la casa donde había vivido hasta entonces. Los paisanos seguían durmiendo. Si acaso alguno me oyó preparar mi mochila, prefirió ignorarme. De esta manera se cumplía la primera regla de la casa: la gente va y viene pero la comunidad permanece, porque esa cama vacía será ocupada por otro desconocido, quien algún día, en medio de la celebración o el silencio, también ha de tomar sus pertenencias y desmaterializarse.

Mi padre y yo hablábamos muy poco. Cuando él respondía el teléfono intercambiábamos algunas frases, como preguntas aprendidas sobre temas neutros: el costo de la vida, los tíos, el clima, el futbol. En ocasiones también le preguntaba si había recibido la remesa correspondiente a ese mes, y la respuesta era también invariable: "Sí, más o menos en la fecha de siempre, Dios se lo pague". Jamás me enteraba por él de sus problemas o enfermedades. Por mi mamá sabía, por ejemplo, que mi padre había estado en el hospital por diversas dolencias, que el corazón ya no le funcionaba igual, que tenía el sueño alterado y entonces se despertaba mucho antes del amanecer y dormitaba el resto del día, fuera en una silla frente al televisor o en el viejo sofá de la sala, con un radio de transistores al oído o el periódico abruptamente deshojado a sus pies. Pero en nuestras conversaciones el mundo siempre andaba bien, y él era el mismo padre de siempre, incapaz de quejarse. A mí también me costaba compartir mi vida con él. Jamás le conté de Billy, menos aún de todos los trucos para hacer dinero extra. No le había hablado nunca de las dos o tres jornadas de trabajo en construcción, en cocina, en limpieza, o de esas ocasiones en que saqué partido de mi cuerpo y de las fantasías ajenas para ganar en pocas horas lo que de otro modo hubiera requerido días. El dinero llegaba, eso era suficiente. Fluía como parte de un sueño hacia mis bolsillos y de mis bolsillos hacia Costa Rica. Para mis padres, a este lado del mundo las fantasías más salvajes tendrían que materializarse en un carro enorme, una casa en los suburbios, un jardín, un tractorcito para podar el césped, una familia como las de la televisión, con niños rubios y esposa impecable. Pero en mi realidad no habría mujer, y eso se quedaba sin discutir. Tampoco niños ni casa en el suburbio. El dinero no dejó de llegarles ni aún cuando me fui de Los Ángeles, así que mi ausencia de ese territorio no pasó de ser una historia en cierto modo abstracta, pues lo mismo daba aquí o allá en tanto las remesas siguieran arribando puntuales.

Me fui aunque no era necesario: Los Ángeles te permitía desaparecer sin problema alguno. En ese momento, sin embargo, no lo sabía. Quizás aún me imaginaba en Cartago, donde en cada esquina puede uno encontrarse a un conocido. Así que tomé un autobús y otro y otro, buscando siempre el corazón de cada ciudad, esos centros abandonados a los indigentes, los negros y los inmigrantes, siempre al borde del abismo a causa del crimen, la falta de espacio, los conflictos entre todos los que estaban jodidos. Los suburbios siempre me han parecido pálidos, falsamente seguros, pues la violencia que no se libera en las calles explota dentro de las casas. Prefería el barrio con la tiendita de la esquina donde se podía comprar lotería y enviar dinero al país de las nostalgias; con esas farmacias sucias en las que vendían más chucherías que medicinas y donde el farmacéutico y sus ayudantes eran viejos, lentos y se equivocaban. Prefería vivir donde las licorerías estuvieran rodeadas de barrotes para protegerse de los robos y a la vez recordarle a los clientes el eventual destino de quien bebía desmedidamente. No me importaba ver los autos patrulla pasearse despacio por la calle, los policías dando órdenes por un altavoz para disolver grupos de prietos o latinos, o desplazándose en grupo para hurgar en aquello que la sombra ocultaba: Drogadictos a punto de caer la inconciencia, locos, extraños paseantes, algunos con sus perros, otros como esperando, otros al acecho.

Pero con mi padre la conversación tenía límites. Hablábamos del frío, tan diferente cuando vivís en el Norte, tan incomprensible para los del Sur. Hablábamos de las eternas crisis económicas en Costa Rica, de que ya no valía la pena salir a votar: "¿Por qué, mi tata?" "Porque todos los políticos se tapan con la misma cobija". No podía esperar explicaciones más detalladas, pues mi padre siempre se había guardado para sí la mayor parte de sus sentimientos, opiniones e ideas, y solamente dejaba a la vista algunas frases aisladas, las cuales carecían de sentido para quien no comprendiera a los solitarios absolutos. "¿Sabés una cosa?", dijo en una ocasión después de un silencio largo, aunque pudo ser simplemente profundo. "Estoy yendo a la biblioteca pública". Volvimos a guardar silencio. Si yo le hubiera respondido con un comentario sobre mi vida, él hubiera dejado de contarme su rollo. "¿De verdad?", dije solamente para animarlo a continuar aunque quería confesarle que yo ya no leía como antes, cuando acababa un libro en una noche de lectura frenética. Cuando era niño mi padre iba al baño de madrugada y me reprendía al encontrarme en vela, sumido en el descubrimiento de mundos tan particulares que al levantar la cabeza del libro yo miraba desconcertado alrededor, inseguro de dónde estaba y de quién era ese hombre ceñudo que desde la puerta me mandaba apagar la luz y dormir. "Tienen unos libritos sobre personas famosas que se quedaron ciegas... Siempre encuentro a alguien que me lo lea" Contuve el aliento. Quizás ahora me revelaría su secreto, pero ojalá no me pidiera ayuda.

En esa época me dedicaba a conducir camiones. Estaba en la carretera la mayor parte del tiempo, parando en moteles baratos, comiendo en *joints* de choferes, oyendo historias de camino sin compartir las mías. "Son muy interesantes. El último trataba de un señor Borges. Era bibliotecario y cuando le dieron un puesto muy importante quedó completamente ciego. Parece que distinguía ciertos colores nada más". De repente quise que preguntara por mí, pero bien sabía la inutilidad de ese deseo. No me pida nada, rogué en silencio, por favor no me haga poner fin a esta errancia, a los amores sin nombre, a la comida de fondas, a esa rutina del desapego que convierte todos los pueblos en un solo pueblo y todas las ciudades en una gran, confusa ciudad, ésa donde finalmente se halla el barrio, la tienda con los barrotes de seguridad, y la policía que nos vigila apertrechada en sus autos. ¿Pero quería eso? ¿O andaba buscando una excusa para volver a Costa Rica?

"Te iba a pedir un favor... ¿Vos sabés historias de otras personas ciegas?" Supe entonces que había caído otra vez en mi propia trampa de culpas y expectativas, en mi narcisismo a medias. Nuevamente esperaba demasiado de ese hombre, quien ahora se estaba quedando ciego. "¿Cómo, mi tata?" Yo no sabía nada, ni de ese tema ni de otros. Desde mi partida de Los Ángeles yo estaba muy desconectado del mundo. Lo inmediato me era ajeno. El resto del planeta parecía muy lejano, casi abstracto, y lo mismo daba un asesinato en Idaho que la última invasión del gobierno gringo. Lo cierto estaba en la televisión, en esos *reality shows* en los que unos gordos competían perdiendo peso –y reflexionaban sobre el proceso– o en los reportajes sobre los grandes deportistas que se metían en problemas. La realidad eran las comedias de blancos fabulosos, triunfantes incluso cuando perdían. "No, no sé de ciegos, pero le prometo averiguar, mi tata". Me lo imaginé sonriendo al otro lado de la línea, satisfecho, relajado, y sentí un escozor por mentirle.

"¿Marcos, te acordás cuando fuimos a Colombia?"

No, no me acordaba. Era uno de esos recuerdos a lo que nunca acudía.

"Mi tata, tengo que cortar ya. Seguimos la conversación después".

"Entiendo". No hubo protesta alguna de su parte, como si otra vez se hubiera metido en su cueva.

Creo que colgamos sin decir adiós. Estaba terminando de atardecer, con un cielo rojo que avanzaba lentamente hacia otras tierras. Guardé mi tarjeta telefónica en el bolsillo, y como deslumbrado me fui a buscar un lugar para comer. Por la noche saldría a un parque, famoso porque los soldados de un cuartel cercano se iban por sus senderos buscando hombre. No, no tenía tiempo para recordar.

Diez años atrás Costa Rica era el país más despreciable del mundo, el más hipócrita. Los noventas fueron una época de grandes transformaciones. Ya no estaban de por medio las guerras para mantenernos distraídos, y nuestros vecinos en Nicaragua habían llevado la palabra "revolución" hasta el más absoluto agotamiento. América Central estaba otra vez a merced del olvido, pero en Costa Rica aún era peor, pues no queríamos admitirlo. Estábamos orgullosos de haber salido bien librados de tanto atraso y tanta violencia, sin darnos cuenta de lo que habíamos perdido, ni de la insurrección interna, callada y sonriente que nos amenazaba por todos lados.

Hacia el mes de julio, una década antes de que mi padre me preguntara por ciegos famosos, yo estaba listo para irme de Costa Rica. Llevaba años subempleado y muy triste, pero no podía llamar las cosas por su nombre porque ignoraba el nombre de las cosas. Muy a menudo me reunía con otros en similar situación, tomábamos tragos y discutíamos de lo larga que se hacía la espera por una oportunidad. Hablábamos de los nuevos trabajos –quienes los tenían– no tan buenos como los de antes, pero algo siempre era mejor que nada. Algunos comentaban del negocio propio que estaban decididos a empezar cuanto antes. Todos, sin embargo, evitábamos mencionar lo que había salido mal. *¿Cuándo se había jodido este país?* Nadie se atrevía a hacer esa pregunta ni siquiera después de varias cervezas. Los que asistíamos a esas reuniones colmadas de alcohol, chistes y amargura nos referíamos insistentemente a mejores tiempos. Casi todos habíamos pertenecido al aparato institucional de gobierno, y tanto exfuncionarios de alto como de bajo rango finalmente nos veíamos como iguales. Hasta mediados de la década habíamos sobrevivido a los cambios políticos y a las ambiciones de quienes estaban en el poder, a esa breve vorágine de quienes se saben dueños del mundo y de los destinos ajenos. Pero la burocracia, bien era sabido, tenía la cualidad de ciertas hierbas silvestres. Al final de la tormenta, de los delirios políticos, de la abundancia o la falta de dinero, de la arrogancia absoluta, la burocracia siempre estaba allí, quizás mediocre y fea, pero viva y bien plantada.

A principios de los noventas yo servía en una institución de desarrollo social. Hacía un trabajo modesto pero que no cesaba nunca. Frente a mí se acumulaban montañas de papel con información financiera que debía depurar, luego ingresar en una base de datos, calcular algunas relaciones aritméticas y entregar todo al próximo en la cadena. Era un puesto mediocre, es cierto, pero me permitía salir adelante con lo básico. Aunque hablaba con mis compañeros de grandes planes futuros, el sueño costarricense de una casita a tu gusto y un carro relativamente nuevo en el garaje se había empezado a desmoronar discretamente, pero al menos en mi caso alquilaba un apartamentito coqueto en un barrio que fue de postín en los setentas, y manejaba un flamante *pre-owned* sedán importado de los Estados Unidos. Al fin y al cabo, como buen ciudadano de segunda ése era el tipo de vehículo que merecía. Los otros, a quienes se los estaba llevando puta, ésos vivían en minúsculas casas de bloques de cemento expuesto y conducían miserables pickups transformados en automóviles de cuatro pasajeros con añadidos de fibra de vidrio y metal. Mi vida no era mala. Iba a trabajar de lunes a viernes, almorzaba con mis padres los domingos, salía a los bares a buscar con quién dormir y también me había despachado a unos cuantos en la oficina. Subir en el escalafón burocrático no era más que la disciplina de la espera: Acechar por ese puesto que alguien dejaría vacante tarde o temprano y confiar en la memoria de quienes estaban por encima de vos. ¿Habías sido leal? ¿Habías jugado según las reglas? ¿Le caías bien a la gente? Un ascenso dependía de un rotundo *sí* a todas las preguntas. Tampoco era mala idea seguir preparándose, así que de cuando en cuando yo tomaba clases en una universidad de a montón, con los aspirantes a jefe financiero y a estratega de mercadeo, con futuros auditores y gerentes generales. En esos cursos se hablaba de los nuevos paradigmas de servicio y eficiencia, de un mundo regido por la libertad empresarial. Yo no prestaba mucha atención, más o menos interesado solamente en un título que me permitiera escalar posiciones, pero me gustaba la palabra *paradigma* y en alguna conversación en la oficina la dejé ir. "¿Y esa vaina qué es?", preguntó un compañero. "No estoy seguro", me encogí de hombros, "pero me parece que es el punto de vista de los que mandan".

Y como ocurre con muchos cambios rotundos, el nuestro llegó casi sin ruido. Se coló en uno de esos memos que nunca leés de inmediato. Anunciaba el arribo de un equipo técnico, comisionado para examinar las instituciones públicas y dar recomendaciones orientadas a mayores niveles de eficiencia y mejores servicios, más a tono con una ciudadanía sorpresivamente exigente y preocupada por asuntos como el gasto público y la parálisis de una economía poblada de burócratas. Simultáneamente empezó a circular el rumor de despidos masivos. Pero eso no iba a ocurrir donde yo trabajaba. Los números probaban que sí se podía echar a andar un proyecto eficiente, solidario y con óptimos resultados. En el memo la alta administración nos advertía que los expertos se iban a ubicar en el ala del edificio donde yo me encontraba, por lo que había un plazo para desalojar nuestra oficina y apretujarse donde se pudiera. Luego supe que el espacio cedido a esa gente guardaba ciertas características que se le habían exigido a la administración superior: privacidad, pocas posibilidades de contacto con el personal y acceso a alguna salida que les permitiera a los expertos desplazarse sin ser notados. A pesar de las previsiones el día de su llegada nos encontramos en el pasillo, yo con una caja llena de papeles, ellos con maletines ejecutivos. Uno de los asistentes de la gerencia guiaba al grupo a su nuevo despacho. El asistente iba adelante, seguido por una mujer vestida de negro, luego dos hombres, luego otras dos mujeres, al final un tercer hombre, que al cruzarse conmigo no me devolvió el saludo sino que se me quedó mirando fijamente a los ojos. Luego cada uno de nosotros dio un par de pasos, pero casi simultáneamente volteamos, no para tratar de reconocernos sino para chequear cómo lucíamos por detrás. Nos permitimos una media sonrisa, el inicio de un secreto. Por mi parte, supe que con un poco de suerte muy pronto tendría un informante en el grupo de expertos.

Era yo el responsable de buscar documentos en los archivos, clasificarlos, preparar una especie de recibo por si algo se extraviaba y llevar todo al salón donde los evaluadores hacían su trabajo. En mi imaginación, esperaba encontrar un absoluto desorden, al fin y al cabo se suponía que los visitantes estaban diseccionando la institución hasta los huesos, pero no era así: Esa gente trabajaba con la pulcritud de un contador, con la mesa casi limpia y apenas un bloc de notas junto a las publicaciones oficiales en la que se describía la entidad, sus funciones, sus objetivos, toda esa estructura lingüística que las administraciones crean para justificarse a sí mismas. Ellos tenían los planes quinquenales junto a los informes que mostraban hasta la saciedad y el aburrimiento los logros alcanzados. Tenían la explicación detallada de los fracasos, el razonamiento de por qué tales proyectos nunca cristalizaron y los planes para intentarlo todo de nuevo y enmendar los errores. Yo, que nada más producía datos que otros analizaban, apenas una pieza menor en ese engranaje de propósitos, números, explicaciones... yo mismo me sorprendía de nuestra capacidad para dar un paso y razonarlo, para controlarnos a nosotros mismos y seguir, siempre y cuando la alta administración diera espacio, una senda en la que todo estaría previsto, medido, preparado para una nueva evaluación. A los expertos que nos estaban juzgando yo les llevaba prueba de que el futuro institucional estaba en progreso. Se encontraba claramente descrito y comprometía nuestro trabajo diario. Ese mañana, aquello que no podía existir al momento de nombrarlo, era nuestro presente. Al menos eso creíamos casi como una cuestión de fe. Y a mí me correspondía acumular evidencia, ordenarla en carpetas de cartón amarillo, en discos de computadora, en cintas. Luego ponía todo en una mesita de café, adornada con rositas de latón, que hacía ruido cuando rodaba. A mí me daba pena, pero quizás para los expertos el chirrido les permitía prepararse. En definitiva no podía acercarme sin ser escuchado, ni era capaz de sorprenderlos en conversaciones reveladoras.

Yo entregaba y recogía materiales, preguntaba si algo más era necesario. A veces mi futuro informante bajaba la mirada a su bloc de notas, como si no se hubiera dado cuenta de mi ingreso al salón. En otras ocasiones, igual que sus compañeros, hacía algún comentario neutro. Fue él quien, sin embargo, el primero en preguntar mi nombre: "Digo, para no llamarlo *usted* todo el tiempo", trató de explicarse. "Entiendo, más bien lo agradezco", respondí. "Todos en este mundo debemos tener un nombre... a veces hasta dos o tres..." Ninguno pareció

entender el chiste, así que continué. "Llámenme Marcos".
Cada uno de los expertos fue presentándose. Yo respondía
"mucho gusto" tratando de relacionar el nombre con el rostro
y con alguna actitud peculiar. "Yo soy Vinicio", dijo mi futuro
traidor mientras me estrechaba la mano, "un placer..."
Salí del salón empujando la mesita adornada con rosas,
seguro de que había obtenido un triunfo importante. Sí, se llamaba Vinicio, pero además esos extraños que nos estaban observando, midiendo, quizás habían visto en mí a una persona
de confianza. Entre todos los empleados de mediano y bajo
rango, al menos yo tenía un nombre, era alguien. Y aunque Vinicio simulara no darse cuenta, él siempre sentía mi presencia
en el salón. Por el momento todo andaba bien. Después me
preocuparía de averiguar mis ventajas reales.

Casi todos en la institución querían enterarse de lo que
pasaba ahí dentro y no creían cuando les contaba que las conversaciones se interrumpían apenas yo entraba, y que si uno
jugaba al paranoico podía incluso pensar que ocultaban sus
notas. A nadie le decía, sin embargo, que un escalofrío muy
sutil me recorría el cuerpo cuando entraba al búnker donde
se decidía nuestro destino. De todas maneras yo nunca hablaba con nadie, ni siquiera con las otras locas de la oficina. Tampoco confabulaba contra ellas, ni me reí con chistes de playos.
Yo era todo silencio, y la gente confundía silencio con lealtad.
Y por esa misma razón Vinicio se fue acercando, coincidiendo
más y más a menudo en los pasillos hasta que una vez, por esos
azares que las personas vamos tramando poco a poco, nos encontramos en el baño, orinando uno al lado del otro. El habló
por hablar. Yo lo interrumpí mientras me sacudía: "¿Sabés
una cosa? Me gusta lo que veo, y me parece que va a gustarme
más lo que no puedo ver en este momento". Vinicio se quedó
fijo en mi verga un instante. "También me gusta lo que veo",
dijo, "y me gustaría probarlo".

Acordamos provocar otra casualidad. Ese día ambos
íbamos a trabajar hasta tarde y encontrarnos luego en el esta-

cionamiento del edificio. Tendríamos que improvisar si alguien nos veía, pero la posibilidad de algo fuera de control constituía un elemento central de la aventura. Sin embargo ocurrió como en un cuento que yo había leído de joven, pues todos debían irse temprano de la oficina, y así lo hicieron; nadie debía estar en los pasillos ni en el ascensor, y nadie había; Vinicio debía aguardar en su carro, y así sucedió. Y aunque el estacionamiento no estaba vacío, daba la sensación de un abandono total, como si todos estuvieran confabulando para propiciar nuestro encuentro. Ahora en mi exilio, sea en la calle o en un parking, he visto a parejas besándose en los carros. Inevitablemente recuerdo a Vinicio, ya sin dolor alguno, y me imagino a nosotros dos como un par de sombras deformadas por la llovizna. De esa noche no recuerdo sino figuras como manchas extendidas a lo largo de la memoria del cuerpo. ¿Cómo nos veíamos desde la distancia? ¿Acaso como posibles presencias cuyo misterio apenas era revelado por la luz de los edificios, por las lámparas que ronroneaban en lo alto de los postes? ¿Podía un paseante imaginar los besos, los olores a fluido y a desobediencia, los gemidos? Ahora veo a la gente besándose en los carros y la imaginación se me confunde con el recuerdo.

Hace poco, intentando matar el tiempo en uno de esos pueblos donde no pasa nada me largué a la calle a engañar al insomnio. Había llovido toda la tarde, así que el asfalto estaba húmedo y reflejaba luces como si el cielo no estuviera nublado y las estrellas se encontraran muy cerca de nuestras miserias. Miraba los escaparates en busca de algo, cualquier cosa, una justificación para andar afuera a esa hora en que las personas de color somos más sospechosas de crímenes innombrables, y los ingenuos y blancos gringos prefieren cruzar a la otra acera para no toparse de frente con vos, la encarnación misma de su miedo.

Seguía en busca del sueño cuando volvió a llover, no de un modo intenso sino más bien como una llamada de aten-

ción débil pero a la vez insistente. El asfalto, las aceras, todo
brilló aún más. El agua caía en ráfagas, me empapaba la cara y
los pies, luego se iba. Entonces, como disuelto entre la lluvia,
oí un susurro con un fondo musical medio tristón. Alrededor
de mí aparentemente no había nadie. A un lado estaban las
tiendas a oscuras; al otro, autos estacionados en fila. Paso a
paso me fui acercando a la voz hasta darme cuenta que no era
una sino varias. Una mujer reflexionaba con cierta autoridad
sobre cómo la distancia alimentaba el cariño. Una segunda la
interrumpió para alabar con voz entrecortada las virtudes de
un hombre que no estaba ahí. Luego solicitó que la compla-
cieran con una canción dedicada a ese hombre. Las voces y la
música se escapaban de un carro muy viejo, apretado entre
dos camionetas último modelo. Los vidrios se habían empa-
ñado, pero una de las ventanillas traseras estaba semiabierta
para dejar entrar el aire y salir la música. Desde la acera no se
podía distinguir si quienes estaban dentro del carro eran un
hombre y una mujer, o dos hombres o dos mujeres. Escuchar
consejos y dedicatorias románticas tampoco daba pistas, pues
hasta los más cínicos de mis colegas camioneros me habían
confesado que les gustaba oír esos programas en la carretera.
La luz difusa de la noche permitía adivinar dos cuerpos abrazados en el asiento delantero. La lluvia, la noche, el frío afe-
rrado a las ventanillas, todo se convertía en su refugio. La música manaba del radio para fundar la memoria de esos besos,
de esas caricias. El diálogo entre la animadora y su radioescu-
cha subrayaba la urgencia de esos minutos de amor, pues la
desventura siempre está allí acechando. Y yo, a prudente distancia del viejo carro, con el alma y los huesos empapados, yo
era otra soledad, convocada para que en ese instante, en ese
punto preciso del universo, coincidieran los opuestos del corazón humano.

    Vinicio y yo pasamos la noche en mi apartamento. Él te-
nía la piel morena, el cuerpo fibroso, y largas piernas que me
envolvían y aprisionaban. Cada vez que llegaba al clímax su

rostro se llenaba de un suave rubor, dejaba los labios entrea-
biertos y sus ojos adquirían un brillo muy particular, como si
estuvieran suspendidos en otro tiempo y otro lugar, como si
Vinicio trascendiera de lo físico a lo espiritual. Y era tan diver-
tido el cabrón. Le gustaba jugar, probar cosas nuevas, llenar
de fantasías el sexo. Aquella primera noche fue muy breve,
aunque estuvimos horas juntos y tan cercanos que hasta em-
pezamos a dejar ir secretillos aquí y allá. Yo le dije que detestaba a mis tatas, él que vivía aún con los suyos. Yo que práctica-
mente había dejado la universidad por la falta de plata, él
esperaba terminar una maestría en administración de negocios y conseguir un trabajo que le permitiera viajar muchísimo. Yo que sos un rico Vinicio, desde que te vi la primera vez
me dio una sed terrible por ese culo tuyo, Dios mío. Él que lo
supo por mis labios, así tan carnosos, de buen mamador.

A la mañana siguiente, con el placer aún fresco, entré al
salón donde estaba el grupo de evaluadores. Empujaba mi carrito decorado con rosas, repleto de documentos, algunos ya
amarillentos o manchados de humedad. No supe si Vinicio
respondió a mi saludo, pues parecía estar muy ocupado haciendo apuntes en hojas de contabilidad. Sí recuerdo que no
levantó la mirada cuando le pregunté si requería algo. "Sí, por
favor", respondió como si le hablara a la pared, "tome esta lista de memorandos y trate de localizarlos. Me interesan sobre
todo los anexos estadísticos". Me fui a cumplir con mi trabajo,
aunque de tanto en tanto me asaltaba cierta amargura en la
garganta. Pero así eran las cosas, ¿no? De todas maneras, para
no dar el brazo a torcer —o al menos no hacerme expectativas
de quinceañera— junto con los memorandos dejé ir mi número de teléfono.

Vinicio llamó esa misma noche. Estaba eufórico, con
muchas ganas de verme. "Vení a pasar la noche conmigo", repliqué, "quiero ver si como ladrás, mordés". Parecía divertirle
mi reto, sin embargo se disculpó. "No puedo. Es por mis papás, ¿sabés?" Hubo una pausa. "Hablamos del asunto mañana,

133

en la oficina. Ahora debo colgar". Su tono de voz había cambiado abruptamente. Quise preguntarle si había alguien más en la habitación, pero me contuve. "¿No se te olvida algo, Vinicio? Tu teléfono". Nueva pausa, luego un número, luego una petición: "Pero no llame después de las nueve de la noche. Mis papás están durmiendo a esa hora".

Después vinieron días llenos de demandas, por lo que no pude pensar mucho ni en la conversación telefónica, ni en el insomnio que hizo larguísimas las siguientes noches, ni en el cansancio que trataba de dominar con café, ni en la actitud de Vinicio cuando estaba con sus colegas: una persona sin rostro, casi sin palabras; a simple vista, un arrogante. Yo iba y venía con el carrito de rosas y papeles. Mis compañeros de trabajo, como siempre, se acercaban a preguntarme si había escuchado algo. No, de ninguna manera, pero había llevado tales o cuales documentos. Personal de toda la institución venía a preguntarme, pues los chismes corrían velozmente, mientras en los periódicos la notas daban una versión llena de optimismo. *Todas las instituciones bajo estudio*, se podía leer, *lograrán en poco tiempo racionalizar el uso de sus recursos financieros y humanos, alcanzando óptimos niveles de rendimiento. Se busca, entre otras cosas, reducir los costos de una pesada planilla y reorientar el papel del estado del viejo modelo intervensionista a uno moderno de mínimo control, permitiendo a los otros actores económicos relacionarse más libremente para beneficio de todos.* La versión oficial hablaba de cambios que dependían del marco filosófico y de los planeamientos estratégicos cada institución, un juego retórico que había consumido esfuerzos durante los últimos tres años: ¿Cuál es su misión? ¿Cuál es su visión? Resuma en tres palabras su relación con los clientes... Por cierto, ¿quiénes son sus clientes? Deben replantearse los objetivos globales porque no pueden parecerse a los objetivos específicos. Por el contrario, como la palabra lo indica, han de englobarlos. Haga una lista de todas sus actividades diarias. ¿Qué equipo mecánico o electrónico necesita? ¿Materiales? ¿Está asociado con algún equipo humano? ¿Sabe la diferencia entre eficacia y eficiencia? ¿Sabe qué piensan sus clientes de usted? ¿Sabe la diferencia entre un cliente satisfecho y uno deleitado? Las mismas preguntas se repetían una y otra vez. Después de tres años de dar respuestas, el equipo evaluador volvía a plantearlas, ahora en reuniones privadas con funcionarios de alto rango. Los periódicos hablaban de una gran movilización de empleados públicos hacia el sector privado, para lo cual habría suficiente dinero de las agencias de desarrollo norteamericanas. Los chismes giraban en torno al temor a no sobrevivir a los cambios. Según los rumores había una norma para todo el sector público: las planillas debían reducirse en un sesenta por ciento. Se decía también que los grupos evaluadores estaban llenos de gente con muchos títulos pero poca formación, ignorantes de lo que pasaba en los lugares a los que estaban asignados. Su misión era, según las malas lenguas, justificar una decisión ya de por sí tomada en las más altas esferas de poder. "Son una partida de mediocres y de patanes", comentaban mis compañeros de oficina. "¿A vos cómo te tratan, Marcos?" Yo respondía que bien, con frialdad pero bien. "Gente que por primera vez pone un pie fuera del mundillo teórico de una universidad para venir a decirnos cómo debemos hacer nuestro trabajo. ¿No te parece el colmo de la imbecilidad, Marcos?" Yo no sabía qué responder. "Además mezclan gente de toda calaña. Ese mae Vinicio, por ejemplo, dicen que es un gran playo. ¿No te ha echado los caballos? Cuidate el trasero, Marcos, no te vaya a desvirgar sin que te des cuenta".

Yo les prometía a mis compañeros ser discreto, observar en silencio a los intrusos. También me había comprometido a informarles cualquier hallazgo, aunque sabía muy poco y más bien creía que nada iba a pasar, que como en tantas otras evaluaciones y diagnósticos administrativos al final íbamos a tener en las manos un informe repleto de recomendaciones que jamás se pondrían en práctica. De ese modo había sido por años, ¿cuál podría ser la diferencia ahora?

En algún momento encontré en el carrito un sobre con un mensaje dentro. Era de Vinicio. Muy formalmente me convocaba a una reunión privada a las cuatro de la tarde, en una salita de reuniones que los empleados de la institución llamaban *el confesionario*. Era un cuarto sin ventanas, ciertamente aislado, donde el grupo evaluador había empezado a sostener entrevistas.

A las cuatro en punto me fui por los pasillos casi desiertos rumbo a la salita. La gran oficina de los evaluadores estaba a oscuras y bajo llave. Nadie parecía estar cerca, no se oían ruidos, pero el confesionario estaba abierto. Empujé la puerta mientras Vinicio me decía: "Poné el seguro solo por precaución". Estaba sentado al otro extremo de una larga mesa, con un libro al lado, quizás para entretener la espera. "No te quedés ahí", ordenó, "vení para este lado, aquí te quiero". Momentos después estábamos haciendo el amor contra la pared, en la mesa, entre las sillas. Si yo había pensado hacerle algún reclamo, ya para entonces se me había olvidado. "Me has hecho mucha falta", le dije. "Vos también, Marcos, te tengo presente todo el tiempo". "En mi caso, además, oigo mucho de vos. La gente habla, ¿entendés?" Pareció interesarse. "¿Ah, sí? ¿Dicen algo específicamente de mí?" Yo empecé a mordisquearle el torso. "Vos y tus colegas son unos testaferros". "¿Unos testaferros?" Seguí explorando, lamiendo. Vinicio intentaba volver a la conversación, pero nuestras urgencias le hacían perder el hilo. "Más específicamente: sos un testaferro y una loca de remate". Me sentía en total dominio de la situación, de su cuerpo. "¿Qué es un testaferro?" Lo fui besando donde le gustaba, deseoso de oír obscenidades en lugar de tantas preguntas. "Un maricón muy puto, y yo soy una perra y me arrastro y me humillo para cogerme al testaferro y que él me coja a mí".

Vinicio y yo salíamos a comer a esos restaurantes chinos que a mucha gente le daban asco, aunque para mí eran mejores que los puestos de tacos, de pollo a las brasas o hamburguesas. Por iniciativa de Dionisio frecuentábamos ese tipo de lugares, como si su gusto por los chinchorros no admitiera excepciones. Yo hubiera preferido un antro de moda donde todos nos vieran, pero Vinicio nunca estaba para eso. Ni siquiera íbamos juntos a las discos de ambiente. Él razonaba que su posición como auditor institucional le impedía relacionarse con la gente a la que estaba evaluando. "Por eso nadie debe vernos juntos, ¿entendés?" Había cierta lógica en ello, pero sólo en parte. Vinicio se guardaba secretos que a estas alturas me empezaban a molestar. Por ejemplo, aún no sabía la dirección de su casa. Sí, claro, estaba en aquel barrio, muy cerca de donde hubo una famosa cantina donde se dice que una vez oyeron cantar un bolero a Marga Montoya, ya para entonces decadente y borracha. Pero esa cantina la habían logrado cerrar los grupos evangélicos de por ahí –se rumoraba que el dueño era ahora un cristiano renacido y enriquecido con el dinero de las giras en las que daba testimonio de su conversión. El local había sido convertido después en bodega de granos, pero un allanamiento mostró que más bien era un secadero de marihuana. Casi de inmediato hubo un incendio, según las malas lenguas para borrar evidencias que ligaban el secadero con una red de tráfico de drogas e influencias al más alto nivel político. Quizás con el dinero proveniente de tales negocios se levantó al tiempo un horrible edificio de dos plantas, en el que se mezclaban locales vacíos con tienditas sin futuro. A pesar de conocer la historia hasta en esos detalles, yo no sabía ni siquiera llegar al edificio. Preguntarle a la gente por la cantina donde alguna vez cantó Marga Montoya hubiera tenido más sentido, aunque esas coordenadas siempre se confunden con el paso del tiempo y los lugares míticos terminan localizados simultáneamente en varios puntos de la ciudad y nadie, salvo los viejos, tiene una respuesta acertada.

Poco a poco iba comprendiendo que Vinicio rehuía hablar de sí mismo, a menos que le hiciera preguntas directas. "No contesto el teléfono porque casi nunca estoy en casa de mis papás, sea por el trabajo o por los estudios. Mis padres ya están mayores, así que se les olvida darme recados, por eso no te devuelvo tus llamadas... Mi vieja, ella no es grosera, sino más bien desconfiada y celosa. Además no le gusta hablar por teléfono, Marcos. Por eso siempre te contesta *él no está*, o *no sabría decirle cuándo va a estar...* No, ellos no saben que a mí me gustan los hombres... Por otra parte, a mí no me gustan los hombres, me gustás vos..."

Por el contrario yo le contaba todo. "Mi primera experiencia con un hombre la tuve en un cine abarrotado de gente. Daban aquella película de extraterrestres *Encuentros cercanos del tercer tipo*. El título no podía ser más adecuado... ¿Las otras personas? Pues si se dieron cuenta de algo, se hicieron los tontos... De ustedes siguen pensando mal en la oficina. Según se dice las entrevistas, las encuestas, en especial esas descripciones pendejas de nuestras actividades diarias... en fin, se dice que ustedes ni se toman la molestia de leer todo eso porque desde hace tiempo tienen preparado su informe con las mismas recomendaciones que se han hecho en otras instituciones... Para mucha gente ustedes dedican la jornada a sus propios negocios, a estudiar como en el caso tuyo, o rascarse las pelotas para matar el aburrimiento... Si la pasás aburrido, por favor avisame: Yo voy y te entretengo... ¿Mis compas? Cabreados, con miedo. Trabajar aquí es lo que sabemos hacer. El país no ofrece opciones tampoco y cualquier compensación económica que recibamos se irá principalmente a cubrir deudas. Muchos de nosotros apenas sobrevivimos con la paga quincenal... ¡No me digás eso, Vinicio! Metete tus teorías económicas donde mejor te quepan..." "Marcos, ¡Marcos!", me respondía él con cierta renuencia. "Los auditores aprendemos a ser muy discretos, nos acostumbramos a no adelantar resultados. Pero a vos sí te puedo revelar algo: Vas a estar muy bien". Tal vez por bruto yo le creía, o porque estaba enamorado, frecuentemente ambas condiciones son la misma.

Una noche, en un infame restaurante chino en las afueras de la ciudad, yo tenía unas ganas enormes de mandar a Vinicio al carajo. Encontraba la comida grasosa, de mal sabor. Por dentro me recorría esa rabia de saber que nos estábamos escondiendo de la manera más ruin y más humillante. Pretendíamos mostrarle nuestra relación a todo el mundo, cuando en verdad nos ocultábamos en lugares públicos donde de seguro nadie nos iba a ver. Hay muchas maneras de volverse invisible, pero las peores son las que se ejecutan delante de todos, pues más que pasar inadvertidos le damos armas a quienes pretenden no ver. Ellos nos descubren en la invisibilidad, nos inventan vergüenzas y culpas, y así justifican su odio. Creo haber mirado a Vinicio como no lo había hecho nunca, sin los vapores del deseo, libre por un instante de la pesadez del afecto. Finalmente estaba conociendo a otro Vinicio, el de los restaurantes inmundos, el que me pedía descripciones de las actividades diarias de cada compañero de oficina y tomaba notas en sendas libretas. No era el mismo Vinicio de la espalda donde yo me perdía, ni el de los besos negros, ni el que llenaba el infinito con su cuerpo desnudo.

"No te quedés viéndome así. La gente se va a poner nerviosa".

En lugar de bajar la vista, seguí observando su rostro con detenimiento. Algo no era igual. Sin previo aviso lo tomé por la barbilla e hice girar su cabeza. Él dejó caer los cubiertos, su cuerpo se contrajo de tensión, apretó los puños.

"Estate quieto... Suélteme, se lo digo por las buenas".

"No seás tan creído. No hay segunda intención, Vinicio. ¿Te das cuenta? Curiosidad, simple curiosidad... tenés algo... en el ojo derecho, hacia al lado... como una variz azulosa..."

Cerró su mano alrededor de la mía, apretando y apretando para obligarme a soltar su rostro. No cedí ni aún cuando sentí un crujido y el principio de un dolor intenso.

"Ahora sí debemos parecer maricones, Vinicio. Si hubiera alguien más en este restaurantucho pensaría que nos estamos acariciando".

Logró por fin arrastrar mi mano hasta la mesa. Cientos de punzadas subían por mi brazo hasta el hombro. Vinicio estaba sudando a chorros, jadeaba. Yo simplemente quería que se fuera.

"Es un tumor", dijo cuando se hubo repuesto un poco, "esa várice es un tumor, pendejo..."

Debí haber cerrado la boca, pero no pude evitar hacerle cuanta pregunta se me vino a la cabeza. ¿Desde cuándo la gente sufre de tumores en los ojos? ¿Y no es el ojo como un huevo, sólo líquido por dentro? ¿Y cuando te hagan la cirugía no va a explotar? ¿O va rodarte por el cachete como una lágrima? ¿Por qué no me lo dijiste antes? ¿Esa enfermedad le puede dar a cualquiera o sólo a las locas?

Cuando finalmente se fue, sin hacer tiradero de platos ni escándalo alguno todavía me quedaba pendiente la pregunta más importante: Vinicio, ¿cuál es la diferencia entre el silencio y la mentira?

El grupo evaluador estaba terminando su trabajo, por lo que cada vez requería menos mi ayuda. De repente descubrí también que la relación conmigo estaba cambiando. Todos, salvo Vinicio, siguieron saludándome, pero ahora con una cortesía más distante, más fría. Vinicio, por el contrario, ni siquiera trataba de disimular. Ahora usaba anteojos oscuros y yo no sabía si vigilaba mis movimientos por el salón o si tenía la vista puesta en ninguna parte. No me respondía directamente, y nunca más volví a encontrarlo por los pasillos. Mientras tanto yo acarreaba documentos de vuelta a su sitio en los archivos, incluyendo viejos memorandos y esquemas de reorganización, dictámenes de asesores externos y reportes con títulos vagos, del tipo *Cómo potenciar una cultura del cambio* , o *La estrategia como desafío y el desafío de la estrategia.* También yo había abierto espacio en los estantes a nuevos documentos, que en corrillos se les llamada *Pruebas de descargo.* Eran todas las comunicaciones oficiales relacionadas con el proceso de evaluación, cientos de páginas repletas de las mismas preguntas, cuyas respuestas se extendían en detalles hasta el cansancio. Sobre todo los mandos medios y bajos se habían dedicado a argumentar sobre su razón de ser y su importancia en la toma de decisiones y en el día a día de la institución. Había también documentos de carácter privado, principalmente transcripciones de entrevistas. Esos eran los papeles de la deshonra, las mutuas acusaciones sobre problema reales o imaginarios, las sugerencias de algunos para que se cortaran las cabezas de otros, las frases que se repetían una y otra vez: "No es nada personal", "siendo muy objetivos", "por todo lo anterior es clara la decisión", "evidentemente ellos duplican nuestras funciones", "la preparación profesional de nuestro departamento en comparación con otros es obviamente superior..." Yo me estaba convirtiendo en el depositario de unos cadáveres apestosos. A mí se me confiaba poner bajo llave copia de aquellos documentos que le servirían al grupo evaluador para demostrar que fueron los funcionarios mismos quienes ejecutaron a sus compañeros y cavaron las tumbas. Yo no decía nada porque así me lo habían ordenado, incluso con sutiles amenazas.

Ahora pasaba largas horas sentado en mi escritorio, escuchando la desesperación de todos. Se pretendía normalidad, se contaban chismes, se hablaba de la familia o de las próximas vacaciones, pero incluso las frases hechas sonaban distintas. Estaba prohibido ser pesimista, porque los burócratas siempre sobrevivíamos a las peores tormentas, porque el servicio público era como entrar a un monasterio o a un convento, del que no se salía si no era por iniciativa propia o por muerte. Sin embargo, el nerviosismo iba deteniendo esa maquinaria tan perfecta, la que me había dado cobijo desde muy jovencito, cuando apenas tenía un título de secundaria y los bolsillos vacíos. Entrar a ella me había permitido alquilar el apartamentito donde pude liberarme del agobio familiar, del ojo permanentemente abierto que me daba instrucciones de cómo amar, a quién desear, en quién creer. Eventualmente me permitió entrar a la universidad, donde me había convertido en un flotante, un estudiante mediocre en busca de mejor oficio, un veterano siempre a mitad de carrera. La maquinaria nunca me preguntó cuándo pensaba terminar mis estudios. No le interesó nunca si tomaba un curso por tercera o cuarta vez, si conservaba mis becas, si al menos tenía los libros para cumplir los requerimientos mínimos de cada asignatura. Muy pronto supe que mis años estarían dedicados a archivar la memoria de la institución, conservar los papeles y los datos, verter cada pieza de información a microfilm, sacar del foso del pasado lo que el presente requiriera y volver a depositarlo en su sitio.

Sin embargo, ahora el miedo estaba resquebrajando la maquinaria. Yo, como memoria, me sentía a salvo. Para los otros, las certezas se iban esfumando poco a poco. ¿Quién iba a encontrar trabajo cuando miles de empleados públicos estuvieran en la calle? ¿Quién pagaría la hipoteca, el colegio privado de los chiquitos, las cuotas del carro americano usado? Ellos no habían tenido a Vinicio; yo, sí. Y él me había prometido seguridad. Lo había dicho en serio, tendido junto a mí en la cama, desnudo y hermoso. ¿Cómo va a mentir alguien cuando ya no hay nada más que ocultar? Vinicio me había jurado que yo estaría bien. Lo dijo como parte de nuestros juegos de sumisión, cuando yo estaba dentro y él quería más de lo que le gustaba. Me había tratado de seducir con la promesa de dejarme varado en esa institución, como si yo me fuera a negar cuando él quisiera poseerme... ¿Cómo estaría Vinicio? No dejaba de pensar en él, no podía. Después de pelearnos en el restaurante chino no me había quedado más que una pesada ausencia. Se acabaron las casualidades provocadas, pero no el hambre por ese cuerpo.

Ya no me hablaba, pero constantemente creía escucharlo, fuera en las multitudes o en el silencio más despejado.

Llamé a casa de sus padres para dejar recados inverosímiles, nombres falsos, casi rogando que lo pusieran al teléfono. Siempre contestaba la misma voz agria, con excusas similares, hasta que me pidió que no volviera a molestar nunca más. ¿Sería cierto lo del tumor? Sobre eso tampoco se miente. ¿Y si me había comportado insensiblemente y hasta merecía su silencio? ¿A quién preguntarle cuando hasta sus mismos compañeros de trabajo apenas se dejaban ver por la institución? Corrían rumores de que los empleados nos estábamos traicionando entre nosotros. No se llegó a formar un sindicato en parte porque esas organizaciones eran de otros tiempos, ahora la norma era la solidaridad, la confianza y la comunicación plena entre la alta administración y los de abajo. Teníamos ahorros, líneas de crédito maravillosas y quizás hasta una voz, si bien débil, para cuestionar lo que pasaba, exigir participación plena de los funcionarios en el proceso de evaluación y cambio institucional. No se pasó de manifestar buenas intenciones. Algo subterráneo había empezado a crecer en el saloncito donde trabajaba el equipo evaluador y poco a poco se había ido extendiendo por todas las oficinas hasta llegar a nuestros escritorios. Así pasamos de creernos inmunes a la derrota anticipada, del valeverguismo a la angustia, de la autocomplacencia a su opuesto.

Para el momento en que dejé de ver a Vinicio, circulaban acusaciones de todo tipo. Se sabía quién había concertado citas privadas con los evaluadores para dejar en claro cuán necesario era su trabajo, qué otras responsabilidades la persona estaba dispuesta a asumir y a quiénes debía despedirse. Se daban nombres de funcionarios intocables, fuera por política o simple balance de poder. Algunos se echaban en cara secretos mal enterrados, los trapos sucios se ventilaban sin pudor alguno. Otros nos reuníamos a beber y a especular sobre quiénes estaban evidentemente jodidos y quiénes aún sacaban la nariz fuera del agua.

¿Tendría dolor Vinicio? ¿Estaría en el hospital? Me fui al barrio donde una vez estuvo la cantina donde Marga Montoya cantaba boleros. Deambulé extraviado sin que nadie pudiera darme señas exactas. Pregunté por la familia de Vinicio, les di a las personas cuanto dato tenía –la mamá, una señora celosa, se llama doña Ruth, el papá está pensionado, fue chequeador de los trenes al Pacífico. Tiempo perdido, miserablemente desperdiciado. ¿Por qué él no me buscaba? ¿Se habría complicado la operación? Dejaron de importarme otros eventos. Se decía, por ejemplo, que el informe final de los evaluadores estaba a punto de ser entregado a la junta directiva de la institución. Para analizarlo se estaba organizando un retiro de dos días en un lujoso hotel de montaña. Nadie lo había leído, pero cada uno de los empleados tenía en la cabeza su propia versión del documento. Yo andaba buscando a Vinicio en los restaurante infames a los que me solía llevar, en los sitios que había mencionado o pudo haber mencionado. Mi memoria trabajaba febrilmente inventando un pasado, creando relaciones y espacios que me permitieran dar con él. Dediqué horas a registrar los archivos, no buscando alguna clave para entender el futuro de nuestra institución sino una pista para dar con Vinicio. Pregunté en la alta gerencia cómo localizar al grupo evaluador. Por supuesto el dato me fue negado. Muchos otros habían intentado obtenerlo antes. Presté atención a los rumores, intentando entresacar una dirección, un teléfono. Algunos entendieron que mi intención era buscar a los evaluadores para que me dijeran la verdad a la cara. Finalmente me fui a la universidad a recorrer oficinas hasta que pude hallar a una de las evaluadoras. Entré abruptamente a su despacho, sin saludar ni pedir permiso para sentarme. Me dejé ir en una silla frente a su escritorio y el cansancio y la obsesión me doblaron los hombros.

"¿Se acuerda de mí?

"Marcos, usted está haciendo algo muy incorrecto. Nosotros ya entregamos nuestro informe y cualquier decisión es enteramente la responsabilidad de las autoridades..."

"Necesito encontrar a Vinicio", le imploré.

Ella se me quedó mirando.

"Está incapacitado por una cirugía".

"Un tumor en un ojo, ya lo sé. ¿Está bien Vinicio? He llamado a su casa por semanas y su madre me dice que no está autorizada para darme información. Ni siquiera sé cómo llegar a casa de sus padres..."

Pensé que debía verme ridículo, así como a punto de desplomarme ante un escritorio repleto de papeles, frente una funcionaria en cuyas manos estaba mi destino, no el que cualquiera hubiera pensado sino ese otro, el de los deseos que para muchos no pueden ser vistos al sol.

La mujer aún dudó unos segundos más. Tal vez estaba haciendo su propio recuento de sucesos recientes, quizás atando cabos y decidiendo cuál solidaridad honrar. Finalmente garabateó en un papel un teléfono y una dirección.

"No le mencione mi nombre", me advirtió mientras señalaba la puerta con un gesto. "Y otra cosa, Marcos. Vinicio no vive con sus padres sino con su novia. Sépalo por si aún desea ir a verlo".

Decidí posponer la visita hasta el día siguiente. Casi como un autómata manejé a casa de mis padres. La mamá estaba horneando pan y se sorprendió al verme a esa hora de la tarde, pero no preguntó nada. Hizo café cargado, como a mí me gustaba, y preguntó casi por costumbre si quería leche o azúcar. "No, mi mama", respondí igual que siempre, "lo tomo negro y amargo como mi conciencia". Pregunté por la salud de todos en la familia. Mi madre se sentó a la mesa e hizo un resumen de los males reales e imaginarios de cada uno de ellos. "¿Y usted qué tal?", dijo después. Me encogí de hombros, sin posibilidad de darle una respuesta. "¿Quiere quedarse a dormir aquí esta noche?" No lo sabía, por el momento me bastaba estar ahí, con un café caliente en la mano, en ese espacio de la cocina donde el mundo exterior no entraba. "Yo soy muy tonto, ¿sabés, mi mama?" Ella tenía una extraña costumbre cuando pensaba. Extendía miguitas de pan sobre el mantel y después las iba quebrando con las uñas hasta pulverizarlas. "¿Tonto? No. Complicado. Pero es mal de familia, míreme a mí". Guardamos silencio por un rato, ella con sus miguitas, yo con la mirada fija en la taza de café, a la espera de que el agua caliente dejara ir volutas. "Quédese aquí esta noche. Hace tiempo que su papá y yo no tenemos compañía". Busqué la voz de mi madre desde las profundidades en las que me encontraba. A pesar de la edad aún conservaba ciertos rasgos de niña, sobre todo en los ojos y la boca. "No me pidás nada hoy, ¿de acuerdo?" Entonces volvió a su silencio, a sus propias reflexiones. "Sí, m'hijo, aquí todos estamos muy bien".

Regresé a mi casa ya oscurecido. Había un recado en la contestadora, convocándome a una mesa de tragos en un bar frecuentado por trabajadores de cuello blanco. Aunque dudé si realmente quería estar con otras personas, al final me convenció el silencio que estaba encerrado en mi apartamento. Llegué al bar cuando ya casi todos estaban borrachos, y se reían de cualquier cosa aunque con un dejo de amargura. Las últimas noticias indicaban que las autoridades institucionales habían regresado de su retiro en las montañas. A esa hora, ya entrada la noche, en nuestra institución un pequeño grupo trabajaba frenéticamente con el fin de hacer oficiales las resoluciones de la junta directiva y empezar los cambios lo más pronto posible. Aquella era la mesa de los pesimistas, de los socavados por el pánico. Quizás mañana, cuando el mundo se empezara a desmoronar, recordarían esa velada como un triunfo, un gesto de desafío ante las adversidades. Tal vez la intención era aturdirse desde ahora, de tal suerte que ninguna mala noticia pudiera impactar tan agresivamente como cuando uno se halla totalmente conciente. Yo no podía tomar ni reírme, pues miraba la escena desde la perspectiva de quien sabe que los puentes se han roto y no queda sino esperar, lúcido y triste, la siguiente tromba de agua.

Lentamente, el nuevo día llegó haciendo visos entre nubes bajas, desperezándose con los corredores tempraneros, con las personas apresuradas por llegar a sus trabajos o la escuela. Me sacudí la modorra con un café negrísimo. Aunque iba tarde, llegué a la oficina entre los primeros. Quizá por esa simple circunstancia me llamaron pronto a una oficina donde algunos de mis superiores empezaron a hablar. Yo los oía sin entender una palabra, como si hubieran trastocado el idioma hasta volverlo otra cosa. Al final me preguntaron si tenía alguna duda o si necesitaba pedir algo. Solicité el resto del día libre y ellos accedieron. De vuelta a mi escritorio me encontré a un grupo de compañeros. Evadí sus preguntas diciéndoles que no me había llevado ninguna sorpresa y que a cada cual le tocaría su turno frente a quienes debían comunicarnos nuestra suerte.

Antes de salir levanté el auricular y fui marcando lentamente cada uno de los dígitos que había memorizado durante la noche. Una mujer contestó al otro lado de la línea.

"¿Puedo hablar con Vinicio, por favor?"

"¿Quién es usted? Él no se encuentra".

"Marcos. Dígale que estoy en camino a verlo".

"Pero él no está..."

"No se preocupe, sí va a estar cuando yo llegue".

Tomé un taxi justo a la entrada de mi trabajo. El taxista me preguntó si sabía cómo llegar a esa dirección y no se me ocurrió más que decirle que buscara el edificio donde estuvo la cantina donde alguna vez cantó Marga Montoya. "Con esas señas no me pida milagros", dijo. Después de un rato perdidos entre calles abarrotadas de casas con fachadas similares, casi copias exactas una de la otra, llegamos finalmente a la que podía ser la deseada. El taxista me esperó hasta que una muchacha rubia, de cara redonda, se asomó a la puerta.

"Soy Marcos", le dije sin saludar.

Ella salió con un manojo de llaves para abrir las múltiples verjas que protegían la vivienda: Una en la puerta principal, otra entre el jardincito y la cochera, otra más para salir a la calle. En lo alto de la reja exterior se enredaban rizos de alambre-navaja, ése que de pequeños conocimos por las películas sobre campos de prisioneros. Un muro de concreto separaba la casa de la construcción vecina. El muro estaba cubierto de trozos de vidrio. No pude evitar hacerle una pregunta a la muchacha: "¿Nunca se ha cortado?" Al principio no entendió. Luego dijo sin mirarme: "Es buena protección, pero no suficiente. Hace poco hubo una balacera aquí cerca y una bala perdida entró hasta el dormitorio".

Vinicio estaba sentado en el sofá de la sala. Vestía un short y una camiseta que yo le había regalado. Descalzo, como a mí solía gustarme, parecía haberse preparado para ofrecerme el mejor espectáculo de sí mismo. Un parche le cubría la mitad de la cara.

"Has perdido peso, Vinicio".

Él asintió. "Usted también".

La novia tomó asiento junto a él, yo en un sillón cerca de la puerta.

"Lo he tratado de cuidar", intervino la muchacha dándole un beso en la barbilla, aferrándose con fuerza de su brazo, "pero no se deja. No come mucho".

"No, nunca ha sido de buen comer".

"¿Ustedes son compañeros de trabajo?"

"No", respondí. Quería pedirle a la novia que nos dejara solos, pero decidí esperar a que Vinicio tomara la iniciativa. Lo miraba fijamente y para mi sorpresa me percaté de que su cuerpo ya no me decía nada, que encontraba a Vinicio débil y feo. Tanto él como la novia estaban a la expectativa.

"¿De dónde se conocen?"

No le hice caso a la muchacha, ni aún cuando me ofreció café. Vinicio cruzaba y descruzaba las piernas, ponía sus manos abiertas —y tiempo atrás, hermosas— en las rodillas. Temblaban casi imperceptiblemente. Me acerqué hasta poner mi manos sobre las suyas. De inmediato cesó su temblar. "Perdí mi trabajo, Vinicio". Lo solté y luego me dejé ir contra el respaldo del sillón.

"Sí", dijo al cabo de unos segundos. "Yo lo sabía desde el principio".

"¿El principio de qué?", intervino la novia.

Me levanté y fui cruzando una a una las verjas que protegían la casa. Casi a gritos la muchacha insistía en saber a qué se refería Vinicio con aquello de *el principio*.

Caminé cuadras en busca de un taxi, pero en ese barrio todo parecía difícil. Finalmente paró un carro viejo y destartalado, uno de esos servicios informales que competían con los taxistas ya establecidos. "¿Va para el centro?", gritó el chofer, "aquí llevo al colega por los lados del Parque Central. Suba". Me senté junto al otro pasajero, un hombre entrado en años que llevaba en el regazo un sobre ajado lleno de documentos. Era el vivo retrato de los pensionados pobres, necesitados de alguien que oyera sus historias. No más subir el pasajero me estrechó la mano y me dijo su nombre. Sin darme tiempo a responder señaló el edificio donde me habían recogido. Voltee a mirar por simple cortesía. "Ahí, donde están esas tienduchas", dijo el anciano, "hubo un lugar muy famoso, donde Marga Montoya improvisó la letra de *Crepúsculo*, uno de sus boleros más recordados".

Yo le sonreí, pero quién contestó fue el chofer: "¿De verdad, abuelo? Pues mire qué bien". De inmediato puso el radio a todo volumen, seguramente para ahogar cualquier conversación sobre pasados idílicos.

Mi madre y yo hablábamos mucho por teléfono. Era una relación basada en el amor y la culpa, en extrañarse mucho y a la vez reconocer que el mejor punto intermedio entre ambos era al mismo tiempo el más distante. Yo le describía pueblos y ciudades creyendo que pensábamos los sitios de la misma manera, pero un día me di cuenta que quizás no era así. Me había quedado varado Hattiesburg, un lugar al noreste de Mississippi, disperso entre estilizados árboles de copa rala y un calor maligno. Muchísimos años antes el poblado había sido famoso por sus maderas, pero de esas glorias no quedaban sino un aserradero abandonado, enormes extensiones de troncos como cicatrices y las mansiones de antaño que aún resistían los embates de las plagas y la humedad. Unas cuantas familias habían hecho de los bosques la base de su riqueza y del incesto la semilla de su desaparición. Quienes las recordaban –negros que habían sido muy pobres cuando eran jóvenes, y ahora de viejos seguían al borde de la miseria –se referían a los amos con reverencia, como si aún les deslumbrara verlos pasar por Main Street en sus descapotables rumbo a la misa. Algunos presumían de estar emparentados con los apellidos honorables de Hattiesburg, como si pertenecer a rancias estirpes les sirviera para sobrellevar con más dignidad el tedio y la exclusión. Pero no faltaba quien quisiera amargarles las ilusiones a esas personas, mortificándolas con el hecho de que un apellido podía simplemente perpetuar la memoria de una infamia, de padres que jamás velaron por sus hijos bastardos, de amos para quienes dar su nombre a sus siervos era una manera de perpetuar sus derechos patrimoniales.

Poco a poco la madera se fue agotando, y las familias se dispersaron. Unos cambiaron su apellido, pues la misma sangre no significaba igual estatus social. Otros se convirtieron en simples ciudadanos, sin nostalgia alguna por lo que debieron ser. Los más recalcitrantes se unieron al Ku-Klux-Klan hasta que se derrumbó su mundo por completo y no quedó otro remedio que huir hacia al centro del país en busca de refugio, a la espera del momento oportuno para reunir las huestes y reclamar lo que por cuna les pertenecía.

Ese domingo, sobrecogido por las ausencias, llamé a mi madre desde el teléfono de una pequeña fonda. Afuera pereceaba una tarde rotunda, de tonos amarillentos. De cuando en cuando oía acercarse un carro. Lo seguía mientras cruzaba de un extremo a otro de mi campo de visión. Sin darme cuenta, más soledad se iba instalando.

"Pero entonces, m' hijo, ¿no hay nada en ese lugar?"

Podía imaginarme a mi madre sentada en el borde de la cama. Tendría la espalda muy recta y la falda perfectamente planchada, como si estuviera recibiendo una visita que le demandara estar impecable.

"¿Ni siquiera dónde comerse una hamburguesa o una pizza?"

Ella intentaba entender mi queja de que Hattiesburg era un moridero, y que difícilmente podría aguantar hasta que llegaran los repuestos para el camión que conducía y pudiera alejarme —ojalá para no volver jamás.

"¿Pero no tienen esos grandes almacenes donde se encuentra de todo? ¿No puede comerse unos helados? ¿No hay un cine?"

Y ante cada una de mis respuestas, todas afirmativas, ella parecía confundirse más y más.

"A mí no me parece mal ese lugar", dijo una vez concluido su interrogatorio, "tiene más negocios *bonitos* que Cartago..."

Pero no era lo mismo. Algo hacía falta aquí, y eso tan misterioso abundaba en esa ciudad donde yo había crecido. Tratando de explicarle a mi madre esos espectros me sumí en demasiadas contradicciones, pues los cines de mi infancia habían sucumbido por la falta de público, estacionamientos o edificios funcionales y feos habían tomado el sitio de las casas señoriales, las calles se habían vuelto peligrosas y la gente finalmente se había dejado vencer por la cultura del miedo. Pero fue en esa misma ciudad, en esos espacios ahora inasibles, que conocí a las primeras travestis, o tuve esa experiencia sexual reveladora de

151

mi identidad, o me pude dar el lujo de caminar y caminar la noche sin temor alguno. Todos en Cartago conocíamos esos rincones supuestamente inexistentes, desde la gallera que oficialmente no estaba allí hasta el siniestro casino de orientales donde los muy ricos se jugaban sus bienes y hasta su esposa o la casa de putas que le abrió mundos a tantos muchachos. Alguna vez yo mismo me perdí junto con otros jóvenes en los famosos paseos a fincas, esas orgías organizadas por viejos verdes o por esos señores de buena familia y deseos reprimidos. Por eso sufría lugares como Hattiesburg, tan reacios a contarme nada, tan indiferentes, tan poco seductores. Y mientras mi madre se maravillaba al ver erigirse poco a poco ciertos signos de modernidad —los almacenes por departamentos, las pizzerías, el centro comercial —yo extrañaba los huesos que se encontraban enterrados bajo esos signos. ¿Cómo explicarle a mi madre? ¿Cómo entenderlo yo mismo? Mejor renunciar, guardar las ausencias en mi corazón vacío, endurecer el gesto, poner más y más distancia entre ese mundo y yo.

Por eso los siguientes días me dediqué a contarle a mi mamá lo que pensé que podría complacerle. Le hablé, por ejemplo, de las ofertas en una tienda que yo llamaba *The Vulture*, donde se encontraban saldos de negocios que habían quebrado o sufrido desastres como incendios o inundaciones. Uno entraba a buscar cualquier cosa en buen estado entre el desorden de muebles, ropa y comestibles, y compraba a su cuenta y riesgo. A veces los artículos tenían una costra de lodo imposible de eliminar por completo, o las etiquetas quemadas. Otras tantas traían consigo una historia, memorizada por los empleados para estimular las ventas. Así yo me compré un traje proveniente de una boutique en el alto Manhattan. El dueño había muerto sin testar, y la feroz lucha por la herencia se había resuelto con la liquidación a precios ridículos de todos los bienes. También tenía una camisa salvada de las ruinas de un tornado en Oklahoma. Incluso había comido caviar proveniente de un decomiso cerca de la frontera con Canadá.

Pero a mi madre no le hablaba de los cataclismos sino de la camisa tan buena, del traje, de las latas llenas de pelotillas negras o verdosas. No le decía nada de mis noches en blanco, sino de esos mediodías calurosos de Hattiesburg en los que mataba la espera comiendo tomates verdes fritos en Mitchell's. Tampoco le conté nunca de Ornette Paciera, con quien finalmente dejé Hattiesburg para adentrarme aún más en el Sur Profundo y luego salir hacia el otro Sur.

Ornette venía de Alabama, pero conocía bien la zona de Mississippi y Louisiana. Su anécdota más recurrente se refería a unos primos a quienes no recordaba, pues era muy pequeña cuando murieron, víctimas del huracán Betsy. Sin embargo, guardada entre los misterios de un bolso de cuero demasiado viejo, la foto de unos adolescentes cargando a una bebé provocaba en Ornette un caos de recuerdos más o menos coherentes, aunque la historia nunca era exactamente la misma, y tenía más brillo o más sombras dependiendo de su estado de ánimo. "Mis primos, ¿sabe usted, Marc?, ellos crecieron para trabajar en los campos de fresas y de arándanos, muchachos del campo, buenos conmigo, como es la gente de por aquí. Mucha fe en Dios, ¿sabe?, y el Señor por eso los llamó muy pronto, en el 65, cuando Betsy. No quisieron irse, dejar la propiedad, porque se le tenía mucha desconfianza a los negros, que se creían iguales a nosotros. Apenas unos años antes no podían ir a la universidad, en la escuela primaria ni siquiera se sentaban en el mismo salón de clase con los blancos. Y de repente ahí estaban con exigencias, apropiándose de lo que nunca les había pertenecido Entonces vino Betsy, un castigo de Dios. Esos muchachos enviaron a sus padres a mi casa en Alabama y ellos se quedaron a cargo de la plantación, bien armados por alguien pretendía robarse aunque fuera una pala. Cuando el viento se puso demasiado furioso le pidieron a un vecino que los amarrara a uno de esos robles viejos… A mis primos se les olvidó el agua. La tierra, tan húmeda, ya no pudo absorber una gota más. El río creció al punto de arrastrar

lagartos hasta la casa de mis primos, ésos de la foto. Pero a
ellos no los mató un animal sino la cólera de Dios por el asunto de los negros. Mi pobres primos atados al árbol mientras el
agua los iba cubriendo. Ellos intentando desamarrarse mientras las gotas caían, acumulándose como en esos relojes de
arena, contando el tiempo. Los nudos estaban al alcance de la
mano, pero nadie pensó en la humedad, en cómo el esparto
mojado los apretaba más y más. Los primos vieron subir la
muerte poco a poco. Se rompieron la piel del pecho, de los
brazos y las piernas intentando liberarse. Nada. Al final resul-
tó que el viento no era tan terrible. El miedo de ellos, ése sí
fue más fuerte. ¿No le parece un designio de Dios? El Señor
tan sabio y también tan cruel".

Pobre Ornette Paciera. Mencionaba a esos familiares
casi desconocidos con los ojos aguados. Luego se quedaba esperando una historia de mi parte: "Le di todos mis ahorros a
un coyote para que me ayudara a llegar a los Estados Unidos.
Salimos de San José, Costa Rica, en autobús hasta Guatemala.
Después cruzamos parte de México a bordo del llamado "tren
de la muerte" con otros doce, pero la mayoría de ellos fue desapareciendo en el camino. No sé... una de las reglas era nunca mirar atrás, pues no había tiempo ni oportunidades. Si
alguien se caía del tren, o no despertaba cuando era hora de
partir, o le sorprendían las dudas, a esa persona se le abando-
naba..."

Ornette encendía un cigarrillo, cruzaba las piernas con
una agilidad sorprendente hasta lograr sentarse en posición
de loto en el estrecho espacio del camión. "Yo no puedo imaginarme una situación así". Me echaba el humo en la cara, dejaba de verme en nuestro presente para forjar un retrato de
del que no tenía referencia alguna. "Solo se me vienen a la cabeza esos documentales de África, con elefantes o búfalos,
¿no? Va la manada caminando, y cuando se da cuenta de un
peligro, por ejemplo un león, echa a correr y ningún animal
espera al que quedó atrasado..."

Le gustaba oír mi historia poco a poco, no fuera a saturarse de tanta desgracia. Después dejaba a la brisa recoger el humo de sus cigarrillos. "¿Vas a contarle a alguien cómo nos conocimos?" Más de una vez en nuestro trayecto me hizo esa pregunta. "¿Y le cambiarás detalles aquí y allá para que siempre suene familiar, y a la vez nunca sea la misma historia?" Entonces le recordaba la regla de oro: no hay promesas, ni se ofrecen ni se piden. "No nos ata compromiso alguno", repetía aunque le doliera a Ornette Paciera. En otras, sin embargo, mordía las palabras hasta convertirlas en una masa que iba tragando lentamente. Cuando eso pasaba Ornette fumaba sin hablar, reflexionando en quién sabe qué cosas. Luego su silencio y el mío se mezclaban y se convertían en la respuesta.

Ella apareció como la última maldición de Hattiesburg, cuando las cosas ya no podían ser peores. Yo estaba a cargo de un camión de una compañía de mudanzas, un infame cacharro que parecía morirse a poquitos, con las llantas casi lisas y todos los permisos de circulación en regla, tramitados en algún pueblo de Louisiana donde las autoridades eran fáciles de sobornar. La empresa siempre estaba en problemas, pues quienes debíamos recoger o entregar los enseres de casa casi nunca éramos bien recibidos por los clientes. Nos correspondía a nosotros escuchar quejas e insultos, y nadie nos pagaba extra por ello. Así que muy pronto mis ayudantes y yo asumimos una estrategia de valeverguismo. No prestábamos atención a los reclamos y repetíamos como un mantra: "Comuníquese con la oficina, nosotros nos limitamos a poner cosas en el camión y a bajar cosas del camión". Llamar a la oficina, bien lo sabíamos, era entrar a un laberinto repleto de desafíos y sin esperanza de hallar una salida, pues la compañía era un caos, sin responsables visibles, sin jefaturas permanentes y llena de pillos. Para nosotros mismos resultaba un dolor de cabeza, pero al menos teníamos en control los viejos camiones. Si nuestro salario no se pagaba a tiempo, parábamos los vehículos en dónde fuera. Algunos compañeros incluso hacían "justicia laboral" apropiándose de objetos que les parecían valiosos o interesantes. Era lo bueno de trabajar para una empresa de mudanzas barata: Siempre se recogían los bienes de las casas, pero nunca se sabía a ciencia cierta si se entregarían en el lugar de destino. Quienes desconocían ese detalle nos entregaban sus cosas con alivio, pues en adelante podrían dedicarse a asuntos de mayor importancia. Quienes tenían alguna información no podían ocultar su angustia, e intentaban en vano tomar nota de cuanta información fuera posible sobre los empleados o los camiones, como para irse preparando con tiempo para las futuras batallas. Todo en vano. Con la experiencia aprendí a presentarme con cualquier nombre a menudo. Mis ayudantes y yo llegábamos a las casas con un vehículo rentado sin ninguna identificación. Jamás respondía preguntas sobre cuándo el menaje estaría en camino, pues la mayoría de las veces llevábamos todo a bodegas. De ese modo los enseres y sus dueños empezaban a languidecer. En la complicada logística de la empresa, se esperaba que algún camión en ruta hacia ninguna parte pasara cerca de las ciudades o los pueblos donde las pertenencias debían ser entregadas. La espera podía ser de semanas o meses, y en el entretanto indudablemente algo se iba a perder. En ciertas ocasiones una caja o un mueble terminaba en la dirección equivocada. En otras pretendíamos tales extravíos, aunque la verdad fuera menos inocente y los objetos terminaran en nuestros apartamentos o en los abarrotados pasillos de los mercados de pulgas.

Cuando me quedé varado en Hattiesburg tenía semanas en ruta. Había recibido el camión en Kansas City, había parado en una sospechosa ciudad llamada Carthage, luego en una plantación cañera en Alabama. Había remontado hacia Nashville y Memphis, donde un cliente furioso salió a recibirme con una escopeta en las manos. De ahí manejé a Jackson, y finalmente a Hattiesburg. Viajaba conmigo un ayudante, aunque nunca era el mismo. Usualmente muchachos muy pobres, desertores del sistema escolar, dispuestos a servir como mulas de carga hasta donde las fuerzas y la paciencia lo permitieran. Uno ya sabía que su viajes terminaban en cualquier momento, incluso antes de recibir la paga por sus servicios. Los chiquillos no necesariamente desaparecían al llegar a una gran ciudad: Podía suceder incluso en alguno de esos parajes donde aparentemente solo había una tienda rodeada de desolación. Cada uno de ellos llevaba consigo una historia secreta. El duro trabajo en el camión les permitía, en el mejor de los casos, huir del tedio. La mayoría, sin embargo, buscaba cómo perderse del aquí y el ahora, y encontraban en mí a ese extraño cautivo al que podían contarle sus cuitas con todo detalle. Y muchas veces el recuento de desventuras conducía a la ternura, y de ahí al sexo en lugares variopintos, desde la cabina del camión hasta rincones en estacionamientos públicos, desde la belleza de los caminos secundarios hasta la incomodidad de un baño público.

¿Pero qué iba a hacer yo con Ornette Paciera? Antes de conocerla, la única noción que tenía de ese nombre venía de un músico de jazz al que había escuchado en la radio. Tal vez por esa razón, cuando algunos empleados de la compañía me dijeron entre risas: "Ornette Paciera será tu ayudante en esta gira", no imaginé mayor cosa. Con suerte sería otro chico en busca de nada o, en el clímax de la fortuna, uno abierto a la seducción, ojalá de largas piernas y músculos firmes, y esa piel tan suave que todos tienen en la juventud pero solamente pocos conservan a lo largo del camino.

Al llegar a Hattiesburg el camión estaba a punto de caerse a pedazos, y me ordenaron esperar para arreglarlo. Después de semanas sin noticias salió a relucir el nombre Ornette, y la situación cambió: Repentinamente llegaron los repuestos y supe que haría un recorrido por algunos pueblos del Sur hasta Morgan City. De la noche a la mañana subimos el cargamento –cajas sin mayor descripción de su contenido.

Los destinatarios no eran los usuales sino oficinas o corresponsalías de la empresa, como si nos tocara cubrir una etapa más en el largo recorrido de las cajas misteriosas, cumplido a saltitos por el inmenso territorio americano. Cuando finalmente me indicaron la fecha de salida decidí hablar sobre el extraño viaje con el administrador, un tipo gordo, con una barba bíblica y muy poco sentido del humor al que llamaban TJ. Me escuchó con impaciencia, haciendo girar un lápiz entre los dedos de la mano derecha. Luego salió con una paja sobre la moral de trabajo, sobre el hecho de que todos recibíamos órdenes, y no fue sino hasta cuando señaló la puerta de su oficina con la punta del lápiz que me dijo algo significativo: "Tú dejas el camión y a Ornette en Morgan City. Un auto te estará esperando, después te desapareces. No se te ocurra seguir a Ornette".

Mejor no preguntar más. Si algo había entre TJ y el tal Ornette, entre ellos debía quedarse. Me preparé para uno de esos viajes que deben hacerse en silencio para no terminar mezclado en mierdas ajenas. Salí a comer tomates verdes fritos por última vez, luego a una zona de edificios abandonados, una especie de cementerio de los buenos tiempos, de cuando había dinero de los aserraderos y las familias de alcurnia necesitaban espacio para guardar el exceso de pertenencias. Ahora era un puñado de calles oscuras, aún más sombreadas por altas paredes de ladrillo desnudo. Por ahí circulaban hombres solos, la mayoría en sus autos, otros a pie, todos en busca de lo mismo.

Horas más tarde, aún de madrugada, me fui a recoger el camión. Dejaba Hattiesburg sin amor alguno. En el despacho, un viejo agotado por la falta de sueño me entregó las llaves y varias copias del itinerario. "¿Todo en orden? ¿Todo listo?", preguntó antes de acomodarse en un sillón de vinil para tratar de sacarle provecho a los restos de la noche. Recorrí un par de calles en busca de la esquina donde debía recoger a Ornette. Quien esperaba era una mujer en jeans y chaqueta raídos. El pelo rubio, de tonos dispersos, le caía hasta los hombros. Puro *white trash*. Estacioné el vehículo, un poco mosqueado porque no me gustaba esperar, menos a los ayudantes. Sin embargo, no podía marcharme sin el tal Ornette. La mujer avanzó hacia el camión, abrió la puerta del pasajero y saltó dentro con bastante agilidad. Puso una maleta demasiado pequeña para el viaje tras el asiento y me miró desafiante.

"No te dijo nada, ¿verdad *honey*? TJ, *motherfucker*, ni siquiera tuvo la valentía de advertírtelo".

"Me encargaron perder un gato". No pude decirle más. No sabía cómo, carecía de palabras. Entonces mi madre cambió de tema, me dijo que el papá estaba aún más ciego aunque no lo admitiera. Había cancelado todas sus citas con el oftalmólogo sin dar explicaciones, como hacía siempre que arrastraba un secreto. La mamá pensaba en asuntos de dinero, pero por casualidad –quizás no, quizás se puso a revisar gavetas, cajas, sobres escondidos entre la ropa –encontró un reporte médico: La operación en Colombia había fracasado, lo mismo que los tratamientos posteriores, y ahora la capacidad visual del papá era casi nula. "Yo me averigüé", agregó mi madre en su tono más distante, informativo. "Hice una copia y se la llevé a un especialista. Hubo muchas preguntas, después explicaciones sobre lo problemático de dar una opinión sin examinar directamente al paciente. Pero al final se atrevió: El deterioro puede continuar o puede quedarse al nivel donde está ahora, sin embargo es mejor prepararse. Entonces yo lo presioné, le dije: No me interesan las especulaciones, explíqueme la situación de ahora. Probablemente muchas cosas ya no las distingue, me aclaró, tal vez no pueda leer o mirar la tele… ni siquiera caminar con seguridad por la calle".

Miré a Ornette a la distancia, sentada a la mesa de un *diner*, uno de muchos en los que paramos a desayunar los mismos huevos revueltos, las mismas tostadas, avena más seca o

más aguada, panqueques... Ornette había sacado de su bolso
un botellín de *Jack Daniel's* que usaba, según ella, para darle
un poco más de cuerpo al café. Para mí el licor lo volvía más
amargo, y dejaba un ardor entre pecho y espalda. Ornette, la
gata a perder, era un problema más cercano, aunque el de la
decadencia de mi padre parecía capaz de invadirlo todo, presente por ausencia incluso en la pequeñez del *diner.*
   "¿Usted me está oyendo, m'hijo?"
   Mentí un "sí", apostando que no sería difícil retomar el
hilo de la conversación. Ornette encendió su siguiente cigarrillo mientras pensaba... O tal vez esa gente no piensa, siente
nada más, y se deja guiar por esas fuerzas interiores, inexplica-
bles, como le sucedió a los primos durante el huracán Betsy.
Ahí estaba esa mujer, viajando con el extraño que era yo, tal
vez porque aún en el último segundo le creyó a TJ, aunque la
había engañado como lo hizo conmigo. Y yo en mi pasividad
había aceptado la situación, y ahora, mientras mi madre hablaba y el único sonido que persistía en mi mente era "Bogotá", empezaba a preguntarme cómo hacer para abandonar a
Ornette y huir, cómo cumplir con TJ, a quien no le debía
nada, sin traicionar a esa mujer tan flaca, de pelo tan revuelto,
de whisky y cigarrillos tempraneros. Una mujer con la cual no
guardaba ningún otro lazo aparte de algunas historias y el silencio que fuimos negociando entre Hattiesburg y cada uno
de los *diners* donde nos deteníamos. "Sí, mi mama", repetí
como para sacudirme de la mezcla de ideas. De repente se me
ocurrió la posibilidad de que Ornette no viajara engañada,
sino con total consciencia de que había sido expulsada del
lado de TJ, y de que empezaba un viaje sin retorno con un
desconocido en quien debía confiar, aunque ello significara
arriesgarlo todo. Y esa fantasía se me fue enredando con la palabra "Bogotá", la ciudad fantasma adonde llevé a mi padre
para salvarle la vista. Ocurrió poco antes de salir para los Estados Unidos, un jueves por la noche. Llegué a casa de los viejos
y mi madre me estaba esperando en la sala, con las piernas

muy juntas, la falda perfecta, como si estuviera lista para salir. "Su papá, Marquitos, su papá. Se va a quedar ciego si no hacemos algo". Algo había ocurrido esa tarde, un mal golpe o un estornudo demasiado intenso u otra de esas caídas que mis padres guardaban en secreto por vergüenza. Se le había desprendido la retina y el doctor había decidido enviarlo a Bogotá de inmediato. "No es posible buscar segundas opiniones, Marquitos, salvarle la vista depende de hacer rápidamente la operación". Aquello era un sinsentido, pero el oftalmólogo había logrado que la mayor parte del dinero lo aportara el Seguro Social, y la misma mamá había hecho aparecer unos ahorros cuya existencia yo desconocía y lo demás... lo demás dependía de mí.

También carecían de sentido la expectativas de mi madre, pues ella no lo sabía, pero yo estaba a punto de tomar ese avión a Los Ángeles para empezar ese viaje que me iba a traer a este momento, en el que estaba con el teléfono en mano oyendo que mi padre se quedaba finalmente ciego, y en el que Ornette me esperaba entreteniéndose con café, alcohol y cigarrillos.

Ese jueves diez años atrás, dejé que la frustración y la sorpresa se desplomaran dentro de mí. Las dejé caer con toda su violencia, con el amargo polvo que levantan cuando van vísceras abajo, pero procuré que mi rostro fuera la fachada perfecta, apenas un contenido gesto de contrariedad, apenas una señal de que tan ridículo encargo podía afectarme. "¿Yo de dónde, mi mama? ¿No se acuerda que no he tenido trabajo fijo desde que me despidieron?" Ella empezó a sacudir invisibles migajas de mi camisa, tal vez intentando acariciarme sin que lo pareciera. "Hay en la vida sufrimientos que no nos dan ninguna oportunidad". No me miraba a los ojos, no parecía estar en la misma conversación de hacía apenas unos minutos. "Precisamente porque no tiene trabajo fijo nadie lo espera mañana, ni pasado, ni cuanto dure la convalecencia de su papá". Su mano se detuvo sobre mi hombro izquierdo. La fue cerrando lentamente, hasta apresar un pedacito de tela. "Y sí, tal vez no tenga un peso en los bolsillos, pero eso no significa más que la libertad para hacer cualquier cosa, empezando por lo correcto. ¿No le parece?" Al viejo hubo que sacarlo casi en vilo, y dejar que viajara en el taxi con el asiento echado hacia atrás. Y en ese acto de salir cargándolo rumbo a un destino que yo no entendía culminó mi partida del paraíso. Uno nunca sabe cuándo empieza a preparar el viaje, a dejar ir las cosas y las personas. Algunas veces el viaje es evidente y definitivo; pero muchas otras, no. Aunque a simple vista las personas siguen ahí, un poquito de atención aguda a los detalles puede desvelar los abandonos ya impuestos, o el proceso de ir acumulando lo que finalmente cabrá en unas cuantas maletas y en el alma. Yo había estado marchándome por años, como si fuera un impulso natural, como si tarde o temprano –cada vez más pronto temo admitirlo –una ansiedad que no era conocida por todos me pusiera otra vez en camino. Sin embargo, fue algo que se desató poco a poco, desde los sueños de infancia, o en las laminitas de tercera dimensión del Viewmaster, que me permitieron maravillarme con el mundo desde muy chico. Claro que perder a Vinicio, o el trabajo donde pude haber crecido como un vegetal hasta el retiro, claro que vagar los siguientes años por Cartago y San José tratando de reconstruir la vida, todo me había empujado a partir, primero en mi fantasías, después en los planes secretos, por último en los desafíos. Y ahora me correspondía cargar a mi padre, quien sin saberlo se estaba convirtiendo en el último obstáculo.

Nos llevó al aeropuerto un taxista que manejaba muy lento para evitar, a su entender, causarle algún daño adicional al enfermo. Cambiaba emisoras de radio tratando de hallar una a nuestro gusto, pero mi padre se limitaba a chasquear la lengua como si tuviera sed, mientras yo miraba angustiado los autos que nos dejaban atrás en la autopista. De un momento a otro el mundo había empezado a girar contra toda lógica. Por una parte, el oftalmólogo se había ocupado personalmente de hacer los contactos en Colombia, por lo tanto no había excusa para demorar la cirugía. Por otra, había surgido una multitud de familiares y conocidos que habían pasado por circunstancias similares, conocían Bogotá y hasta guardaban información sobre el lugar donde los ticos con problemas de salud se alojaban, una pensión regentada por un par de solteronas. Conmigo llevaba un puñado de papeles, los dólares recolectados por mi madre para cubrir los gastos básicos, unas cuantas mudas de ropa y mucha confusión. No iba a ser mi primer viaje con ese desconocido, pero estaba asustado como si yo también requiriera una intervención de urgencia con la esperanza de salvar un sentido vital y no quedarme en tinieblas por el resto de mi vida.

"Un hijo de puta, un despreciable maldito, un cobarde... ¿Me falta algún otro insulto, Marc? No hay suficientes para describir a TJ, gordo horroroso. ¿Por qué las mujeres nos enamoramos de hombres así? Tú lo has visto, lo has tenido cerca... De solo pensarlo siento un hueco aquí. ¿No te parece? Bueno, tal vez no puedas saber nada al respecto porque te pregunto sobre el amor, pero las mujeres... nosotras nos quedamos enganchadas de cualquier cosa y no lo sabemos sino hasta cuando es demasiado tarde, cuando les hemos entregado todo a los cabrones y ellos lo han aceptado, aún sabiendo que no nos quieren. Después no les pesa en la conciencia darnos una patada por el trasero cuando ya no les servimos. Tú no me entiendes, ¿verdad? Al fin y al cabo eres un hombre, tienes el mismo gusanito entre las piernas y el corazón igualmente frío".

Apenas mediodía y ya estaba agotado de escucharla. En su historia, los Paciera se habían propagado por territorios de Alabama, Louisiana y Mississippi, todos dedicados al campo, los más rebeldes a los *berries*, los más tradicionales a la caña de azúcar. Pero ella, aunque pertenecía al segundo grupo no se sintió nunca señorita de guante blanco y sombrero adornado de tul. "Mira mis manos, Marc, ¿ves las cicatrices? Por trabajar el campo. Déjame ver las tuyas... de señorito, perdona la sinceridad". Una finca pequeña en un pueblo adonde nadie va. Los Paciera como fundadores, piel clara en medio de una comunidad negra que se había mantenido ahí por inercia, aunque el pueblo no ofreciera nada, como si permaneciera varado en un banco de tradiciones. "A veces pienso que TJ le había puesto el ojo a la casa de mis padres, o a la plantación. Ustedes los hombres son así. Yo solamente vi su ternura, su barba blanca, su sentido del humor..." Tal vez había visto también otras cosas menos agradables, pero cuando las personas reconstruyen su pasado lo hacen a su modo y nadie tiene derecho a intervenir, mucho menos a cuestionarlo. Pero si en nuestras evocaciones un lugar como Hattiesburg se convierte en la gran ciudad es porque la pequeñez de nuestras referencias nos supera y nuestro deseo se desborda sobre barreras invisibles, innombrables. ¿No te parece, Ornette Paciera? Vivís el mito del corazón puro, das un rodeo para evitar encontrarte de frente con la ambición de TJ, y te volvés totalmente sentimiento cuando chocás con las mezquindades ajenas. "Él vino como tú, Marc, conduciendo un camión de mudanzas, pero estaba de paso. Nos conocimos en la taberna. No te rías de mí, pero de inmediato supe que con TJ podría ser feliz, y a la mañana siguiente partí con él. Ni siquiera recogí mi ropa ni le dije adiós a nadie. ¿No es eso amor? Pierdo mi tiempo, ustedes los hombres no entienden".

"¿Y el regreso? ¿Te están esperando en tu casa?"

Cruzó las piernas, encendió el siguiente cigarrillo. Por las ventanillas del camión no entraba sino aire caliente, espeso.

"No sé, voy de vuelta a Alabama porque ahí están los míos, pero ni siquiera estoy segura de que vayan a recibirme. Hace mucho tiempo que ellos no saben de mí. Solamente les he enviado un par de cartas: la primera con una disculpa, la última aclarándoles que jamás iba a regresar".

Volvió a interesarme esa mujer, dispuesta a un último gesto hacia su amante. Aquí iba ella conmigo, no rumbo a Alabama sino más al suroeste, hacia Morgan City, donde quedaría finalmente abandonada, y tendría que arreglárselas como pudiera. TJ estaba ganando tiempo al poner una distancia que podía volverse insalvable, pues para regresar a Alabama y eventualmente a Hattiesburg, Ornette Paciera tendría que tomar innumerables autobuses, ir a varias ciudades hasta encontrar finalmente la ruta correcta. ¿Estaba Ornette conciente de todo ello? En apariencia se dejaba llevar, aunque a veces leyera en voz alta los rótulos de la carretera, esos que indicaban cómo nos íbamos alejando de Alabama para adentrarnos en los recovecos de Mississippi en dirección a Louisiana. Pero ella seguía hablando del regreso, de lo bien que pensaba pasarlo con su familia y amigos, de lo sorprendido que estaría TJ cuando la viera entrar a su oficina. De repente me preguntó por mi historia. Yo le dije que había cruzado por tierra desde Costa Rica hasta Los Ángeles y le pareció fascinante. "¿Mucha distancia, querido?" "Quizás como ir de costa a costa". Encendió el siguiente cigarrillo. "¿Y peligros? Cuéntame de los riesgos".

"Nuestro coyote era un tipo simpático aunque escurridizo. Yo lo vigilaba, pues ya había oído que mucha gente en ese negocio se hacía humo al menor peligro. De hecho, parte de nuestro trato era que si inmigración nos detenía él dejaba ser de coyote para convertirse en otro ilegal, y todos debíamos repetir la misma historia del grupo de personas abandonadas a mitad de camino. Yo siempre estaba vigilándolo, siempre despierto cuando los demás dormían, tal vez ansioso porque avanzábamos y avanzábamos sin llegar a ninguna parte. Llegábamos a los alrededores de lugares con nombres desconocidos, jamás algo identificable con la geografía que había memorizado antes de salir de Costa Rica. Y el coyote repitiendo: 'Ya tantito estamos donde sea seguro'. Creo que él mismo estaba perdido, o sus contactos nunca aparecieron, o en una de

165

las tantas emergencias habíamos huido por la vereda incorrecta. Un día lo encaré, le exigí la verdad. 'Estoy harto de tus necedades', me dijo mostrándome un cuchillo enorme. 'Ni al baño puedo ir sin que estés allí'. Entonces yo le dije: 'No quiero que nos dejés botados, porque si lo hacés tendré que buscarte para pegarte un tiro'. El coyote se rió. '¡No mames! Tú ni siquiera sabes usar una pistola'. Me di unos segundos para pensar mi respuesta: 'Si vos intentás desaparecerte aún te puedo matar con mis propias manos'. Lo dejé hablando solo, insultando a mi madre y a mi descendencia. Pero después de esa ocasión nunca más se metió conmigo hasta que llegamos, maltrechos, al punto donde concluía el viaje."

"Ustedes los inmigrantes van a acabar con nosotros. Son nuestro fin", reflexionó Ornette. "Y me doy cuenta de algo más: Sabes muy bien marcharte, pero no estoy segura que sepas volver".

Habíamos recorrido varios pueblos en una rutina extraña y a la vez sospechosa. En cada despacho comercial bajábamos unas cuantas cajas, subíamos otras, nada del otro mundo aunque me preocupaba que TJ hubiera incluido en el recorrido alguna tarea imposible, como echarse al hombro objetos demasiado pesados y subir tres o cuatro pisos por una escalera estrecha. Pero el camión seguía lleno solamente de cajas, tan parecidas entre sí que podían ser la misma, repetida una y otra vez incluso en el peso. Yo empujaba una carretilla llena, Ornette cogía una sola y se iba muerta del calor hasta donde debíamos depositarlas. El pelo desordenado se le empapaba, y por unos minutos parecía tener un color uniforme, no esa mezcla de tintes y descuido que se le venía a la cara constantemente. En algunas oficinas nos indicaban recoger un cargamento muy similar al que acabábamos de entregar. En otras nos pedían volver a cargar lo que apenas habíamos puesto en el suelo. Ornette no decía nada. Se secaba el sudor del bozo con la punta de la lengua y volvía a la tarea.

Un día nos detuvimos en un motel cuya única majestuosidad residía en el nombre: *Majestic*. El hombre de recepción empezó a llenar una ficha larga de color verdoso. "¿Una habitación, una cama?" dijo sin mirarnos. "Dos habitaciones", le contesté. "No, una con una cama", tomó la iniciativa Ornette, pero al cabo de unos segundos corrigió: "Dos camas". Luego me tomó del brazo como cerrando la negociación.

Como en una especie de vértigo tuve la necesidad de ser más honesto, más leal con esa desconocida, hablarle de mí, confesarle lo poco que sabía del asunto con TJ, aunque me estuviera metiendo entre las sábanas de dos amantes, y como bien se sabe aquello que se amarra en la cama ni Dios puede deshacerlo. Pero a la vez presentía que Ornette no estaba interesada en saber. Se iba alejando de su amante sin plantear mayores preguntas, mientras fantaseaba con sanar todos sus quebrantos. ¿Había nobleza en ese acto? ¿Existía un arte del regreso? A estas alturas yo mismo podría predecir el futuro de Ornette Paciera: Llegar al pueblo con el cansancio de muchas horas en autobús, quizás sin dinero, sin argumento alguno para probar que había vencido. Irse a buscar quién le diera un aventón a casa, y luego probar suerte con quienes había dejado atrás, esos familiares a quienes había procurado olvidar andanza tras andanza. ¿Le abrirían la puerta como en las películas, sin importar el tiempo, el silencio, las ofensas? ¿Sería realmente un regreso, o apenas una parada antes de continuar vagando?

En lugar de decirle algo a Ornette, me fui a llamar a mi madre. Le solté de entrada el nombre de los lugares adonde habíamos parado en nuestro recorrido, haciendo énfasis en detalles que sonaran pintorescos, inofensivos. Ella escuchó con paciencia, como dándome tiempo para descargar esa euforia inusual en mí. "Su papá se ha quedado ciego", me interrumpió finalmente. "¿Cómo lo supe? Porque tiene un mapa mental de la casa". Entonces fue su turno de hablar. El viejo ya no salía a la calle, supuestamente por miedo a caerse, y se pasaba el día deambulado por las habitaciones, por el patio, por un pequeño jardín poblado de macetas de barro. "Usted probablemente no se ha fijado, m'hijo, pero las personas empiezan a seguir ciertas rutas incluso por las casas. A tal hora están siempre en tal lugar, saben de memoria dónde se encuentra el azúcar o la harina, y el resto, lo que no se puede predecir, sencillamente no existe..." Pero el verdadero problema, me explicó a su modo mi madre, ocurría cuando esa geografía íntima se alteraba. Algo tan sencillo como correr los muebles, quitar ciertos adornos, agregar un elemento nuevo a los senderos invisibles que hay en las casas. Ella lo había hecho sin decirle nada a mi padre: un cambio aquí, otro allá, después la observación atenta de cómo él se desorientaba, se tropezaba, destruía objetos como por descuido cuando en verdad estaba reabriendo las trochas ya conocidas. "Su papá no dice nada. La vida le funciona bien así, supongo". Yo me callé por unos larguísimos segundos. "¿Entonces Colombia fue una pérdida de tiempo y de dinero?" Ella aguardó con paciencia. "Sirvió en su momento, Marcos, pero nadie habló de un milagro, nadie nunca nos prometió una solución eterna. Valió la pena, como toda esperanza".

Habíamos llegado a una Bogotá gris, con unos cielos cargados que le quitaban a la ciudad su brillo. Nos recogió en el aeropuerto un tipo con bigote a lo Pérez Prado, que conducía un enorme auto americano, demasiado viejo para ser cómodo. El hombre conocía bien su rol, así que se encargó del equipaje, puso especial cuidado en acomodar a mi padre de modo que estuviera lo más reclinado posible y luego condujo a paso de funeral, hablando como si aquello fuera un viaje turístico. Se refería a las bellezas de Bogotá, a la seguridad, al barrio donde estaríamos, pero sin precisar nada realmente. "¿Saben ustedes que a esa pensión llegan muchos centroamericanos? Ticos como ustedes sobre todo. La gente le dice *El gallo pinto*, por esa comida de Costa Rica ". Personalmente no tenía mayores expectativas. Apenas podía soportar estar ahí sin dinero, sin información, sin otro motivo que hacerme cargo de mi padre. Sin poder ocultar su admiración, el conductor nos hizo saber que en efecto éramos parte de una especie de cofradía formada por personas con graves problemas de la vista. A falta de dinero sabían moverse entre la burocracia de la Seguridad Social costarricense para conseguir ser enviados a Bogotá, todos a la misma clínica, todos con iguales necesidades. Ni mi madre ni yo los llamamos, sino más bien ellos nos buscaron apenas se dictaminó la gravedad de mi padre. Nos hablaron de la pensión de las solteronas como un refugio confiable, las dos hermanas tan acostumbradas a los costarricenses que se atrevían incluso a preparar algunos platillos tradicionales. Les ayudaba un viejo llamado Dámaso, que ponía a disposición su servicio de limosina para todos los pacientes de la pensión.

Y entonces ahí estábamos mi padre y yo, casi sin hablar, en una ciudad que nunca pensamos visitar juntos. Las señoras de la pensión me recordaron a unas gemelas que vivían a la vuelta de mi casa cuando era niño: Aunque no se vistieran igual, aunque tuvieran rasgos distintivos, algo en ellas las hacía parecer la misma persona. Se hicieron cargo de nosotros con prontitud, asignándonos un cuarto húmedo y frío al fondo de la casa, detrás de un jardín que ahora se usaba para acomodar comensales a la hora de la cena. Mi padre se quedó en el cuarto, temeroso de hacer algo incorrecto. Yo salí a saludar a los otros pacientes y sus familiares, gente de todas partes, casi todos a punto de perder la vista. Estaban reunidos en el salón principal frente a un televisor que permanecía encendido hasta la medianoche. De vez en cuando alguien se levantaba para mirar por el ventanal detrás de televisor. Yo mismo lo hice buscando respuesta a mis dudas de qué era Bogotá. Sin embargo la calle solamente mostraba un paisaje de barrio popular. Un día alguien dijo: "¿No les parece increíble? Uno se asoma y es como estar en San José. Tan distantes las dos ciudades y las fachadas, la luz, hasta los carros parecen los de allá". Aunque no se lo había dicho a nadie yo también pensaba eso, pero no me maravillaba. Me parecía curioso que muchos en la casa no se atrevían a mirar la calle. Fuera por creencias o por recomendación de sus médicos casi no se movían, e incluso el televisor encendido por horas y horas no pasaba de ser una excusa para reunirse y aliviar el tedio de la espera con algo de contacto humano. Las dueñas de casa nos habían advertido del peligro de salir solos, y para asegurarse de mantenernos bajo control nos repetían la historia de un paciente a quien trataron de secuestrar cuando esperaba a que le abrieran la puerta. Por eso Dámaso tocaba siempre el claxon para anunciarse, una de las sirvientas abría la entrada principal y quien viajara en el carro tenía instrucciones de correr al interior de la casa sin demora alguna.

Demasiados miedos dormían en esa pensión, desde perder la vista hasta desaparecer sin esperanza en una ciudad desconocida. Yo tenía los propios, pero no los dejaba saber. ¿Iba a decirles que ese barrio me hacía pensar en la Costa Rica del futuro? ¿Iba a admitir la angustia de compartir cuarto con el desconocido de mi padre, mientras todos asumían la más tierna de las relaciones? ¿A quién iba a contarle que estábamos contra tiempo, pues yo tenía fecha para dejarlo todo, para traicionarlos a todos, incluso a mí mismo?

Llevé a mi papá a la clínica, aguardé adormilado en un sillón las noticias de la cirugía. Le di agua cuanto tuvo sed, lo ayudé a asearse en el sentido más amplio, lo alimenté cuando fue necesario. Me fui con los bolsillos vacíos a recorrer Bogotá. Busqué refugio en los cafetines, en el anonimato de las multitudes. Esperaba la mejoría del viejo con impaciencia, no por amor filial como en algún momento comentó Dámaso, sino porque los plazos se estaban venciendo. Mi padre se pasaba el día tirado boca abajo, tan delicada y lenta era su recuperación.

No recuerdo si los médicos hicieron alguna promesa. Si así fue yo no la oí, tan necesitado estaba de escapar. A mi madre le empecé a mentir de un trabajo que aguardaba por mí en San José: "Mi tata debe curarse cuanto antes. No puedo pasarme la vida aquí en Bogotá, encerrado en una casa de ciegos. ¿Me entiende?" Sin duda me comprendía, pero tampoco podía hacer nada. "Venga, quédese usted con él". Pero mi mamá nunca había tomado un avión sola, ni conocía los trámites migratorios, ni se imaginaba a ella misma en territorio extranjero. "Yo le arreglo todo desde aquí. Usted nada más pídale el dinero a sus hermanos. Yo se lo voy pagando".

A pesar de sus propios miedos mi madre aceptó, y anunció su llegada para un lunes. Por mi parte hice los arreglos pertinentes. Pensaba encontrarla en el aeropuerto, yo de salida, ella de entrada. Le prometí a mi padre que no se quedaría solo más de lo usual, ahora que yo me desaparecía para andar las calles. Al final no fue así. Mi avión salió puntual, el de mi madre llegó muy retrasado. Dámaso me aseguró que todo estaría bien y me auguró muchísimos éxitos en el nuevo trabajo. Yo le agradecí su discreción.

Unas horas después estaba en casa de mis padres. Sin ellos, sin las puertas y las ventanas abiertas, todo parecía más oscuro y frío. Sin embargo, aún guardaba el aroma de sus habitantes: El dormitorio a remedios caseros, la cocina a las comidas de mi madre y ciertas hierbas. Me fui desplazando por la casa en silencio, sin darme oportunidades para la nostalgia. Luego cerré todos los cerrojos, me fui a mi apartamento y recogí mis últimas cosas. A la mañana siguiente, antes de cualquier duda o sentimiento de culpa, salí de Costa Rica pensando que era para siempre.

La habitación del motel olía a jabón de baño barato. Ornette Paciera, sentada en un sillón manchado de humedad, se cepillaba el pelo. Yo entré furioso, con ese disgusto que te

171

dejan en la boca las discusiones sin sentido. Poco antes, aún al teléfono, yo había empezado a maldecir mi suerte, luego a mi padre, a todo el mundo afectado de ceguera. Mi madre me dijo que no había razón para condenar a nadie, ni al papá ni a nosotros mismos, pues todos habíamos hecho lo posible por lograr una cura, pero la vida, o Dios quizás, era así: Simplemente seguía su curso. A algunos les tocaba crecer; a otros, marchitarse. Era la única ley permanente, imposible de cambiar. Pero yo no entendía razones. ¿Cómo hacerlo cuando uno no puede escapar de las cegueras? "De todas maneras", concluyó mi madre, "a quien le toca arrastrar la cruz es a mí. Usted piense que no hablamos de este asunto, y continúe su vida como si nada".

Eso era imposible. No podía dejar de imaginarme a mi mamá abriendo senderos por la casa de acuerdo al mapa mental de mi padre. Me daba rabia que al final de cuentas nos pareciéramos tanto él y yo, que sin decírselo a nadie construyéramos nuestros mundos interiores y nos abalanzáramos a ellos sin medir las consecuencias, sin pensar en los demás, aunque las rutas imaginadas no llevaran a ninguna parte. Entonces entendí que la rabia también era contra mí y mi maldita ceguera, que era su culpa y la mía.

"¿Todo bien, babe?" Ornette tenía puesta una camiseta ajustada y unos shorts. Se terminó de peinar, y luego sacó de su maleta una cajita llena de esmaltes para uñas, limas y ungüentos. "Ven acá, dime: ¿Te gustan mis pies? A muchos hombres los han enloquecido... hasta al puerco de TJ. Vamos, arrodíllate, consiénteme..."

Me lanzó uno de sus ungüentos. Era de hierbabuena y dejaba en la piel una sensación de frescor intensa.

"¿Soy una porquería yo también?"

Ornette se encogió de hombros: "Como todos los hombres. Pero no te sientas herido: Es algo inevitable porque está en la naturaleza de cada uno de ustedes. Ven, dame un masaje..."

Me tiré a sus pies e hice como me lo indicó. El lugar seguía siendo un cuartucho de motel, el sillón aún conservaba manchas de humedad, la alfombra era una superficie áspera y sospechosa, pero ahí estábamos los dos haciendo algo el uno por el otro. Hablamos poco. Ornette hizo algunos recuerdos divertidos de TJ, a quien le gustaba ir de cacería aunque nunca lograba buenas piezas. Hubo un silencio, luego yo le conté otra vez de los inmigrantes extraviados en el desierto, caminando días y días sin saber a dónde se dirigían. "No conozco un desierto", admitió ella en voz baja, con los ojos cerrados. "Tendrás que ayudarme a imaginarlo". Y mientras le pintaba las uñas de distintos colores le fui retratando fragmentos de mi propia historia. La mezclé con la vida de otros para hacerla más interesante o quizás simplemente para diluir cualquier emoción que me traicionara. Al terminar los pies de Ornette eran los de una niña, tan tersos, con las uñas perfectas, decoradas con banderitas y minúsculas flores. "En un par de días estaremos en Morgan City", dije para empezar mi confesión pero Ornette se había quedado dormida.

Alguna vez se fabricaron en Morgan City piezas para barcos, pues había comunidades dedicadas a la pesca de mariscos, con astilleros y canales por donde circulaban las embarcaciones con las redes extendidas como alas. Ahora, los pocos habitantes de Morgan City vivían del recuerdo, de cultivar verduras y hortalizas, y del negocio que generaban los pocos viajeros que se detenían a comprar gasolina o a comer. En las afueras del pueblo, como una señal del paso inexorable del tiempo, se pudría a poquitos el esqueleto de un camaronero. Además de todo estaba el calor. ¿Cómo describir la desolación que emana del asfalto cuando la temperatura es altísima y no hay siquiera esperanza de un aguacero que venga a aliviar la soledad y la rutina?

Finalmente me había enterado del interés de Ornette por acompañarme en el viaje. Llegar a este pueblo no era casualidad, sino parte de una negociación. Yo debía dejarla un poquito más al sur, allá donde los canales son el patio trasero de las casas y las embarcaciones descansan aseguradas en pequeños muelles. Después del tercer puente metálico, a la izquierda, iba a encontrar un jardín donde estaban las esculturas de un loco. Ornette no estaba segura del nombre, podría ser algo así como Johnny o Joshua Valencia. Ella había escuchado del jardín cuando el tal Valencia paró en Hattiesburg en ruta al norte, desesperado por el fracaso de sus empeños, deseoso de encontrar otra oportunidad quizás en el medio oeste, en el campo primigenio que pintara Hart Crane. "Es la caída y la redención", le había explicado. "Ahora creo estar otra vez en lo más bajo, y para expresar este dolor no hay arte suficiente, no encuentro posibilidad". TJ se había sentido muy celoso de Johnny o Joshua, pues había algo en su voz y su vida capaz de causarle fascinación a Ornette, quien no dejaba de hablar de él y le pedía una y otra vez a TJ llevarla a las ciénagas de Louisiana a ver el portento. Cuando ya se hartó de ella, TJ inventó la ruta de entregas hasta Morgan City como un medio de complacerla. "Pero tú no vienes conmigo. ¿Te estás deshaciendo de mí?", me contó Ornette que le había preguntado. Él le juro que estaba completamente equivocada, las cosas no eran así. "¿Me vas a enviar con uno de tus hombres? ¿Y si me gusta? ¿Y si al final termino durmiendo con él?" TJ había meditado cuidadosamente su respuesta. Tal vez no le importaba lo que pudiera pasar entre Ornette y su chofer, pero no se lo dijo. Nada más sonrió: "¿Marc? Marc es marica, pero no te lo va a decir".

Parecía que Ornette sabía demasiado sobre mí, pero muy poco sobre su propio destino, o tal vez lo callaba porque era mejor así: cada uno en su papel, simulando no enterarse del abismo a los pies del otro. Nos unía, quizás, el hecho de haber sido traicionados, pero nada más. Ella creía en la existencia de un lugar donde reposar y rehacerse; yo, no. Me imaginaba en control del camino, al menos de las próximas millas; ella, más sabia, se iba con la corriente a sabiendas de que otros nos habían dictado la ruta. Yo me había dejado arrastrar por la vida, Ornette aún tenía cierta capacidad para los sueños, y se veía a sí misma libre de cadenas, aunque para liberarse tuviera que regresar adonde todo había empezado.

Conduje más rápido. Salté un par de pueblos a sabiendas de que nos esperaba la rutina de bajar y volver a subir al camión la misma carga. En Morgan City no me detuve ni ante el esqueleto del barco. Siguiendo las indicaciones de Ornette tomé la carretera hacia los viejos puentes mecánicos, aún en funcionamiento cuando alguna embarcación de cierto tamaño debía abrirse paso por los canales. Conté el primero, el segundo, di vuelta en el tercero y crucé para regresar por la otra orilla, donde pereceaban casas con jardines y plantíos de maíz.

"Aquí es", me indicó Ornette. Apenas empezaba a oscurecer, y el sol creaba sombras largas desde el maizal hasta el camino. Entre las plantas se podía ver una especie de torre hecha de fierros viejos. En lo alto, la escultura de un hombre flaco parecía descender a tierra. Primero su paso era firme y confiado, aunque más abajo perdía paso y finalmente caía. El resto de la historia había que leerla a lo largo y ancho del maizal y del jardín adyacente. Un viejo salió a saludar, sorprendido por tener visitas a esa hora. Se presentó como el guardián de las esculturas y guió a Ornette hasta la entrada del recorrido. Después volvió a buscarme: "Los esperaban en dos oficinas más antes de llegar aquí. TJ está muy molesto. ¿Hubo algún problema?" No le di explicaciones más allá de admitir que necesitaba terminar con todo aquello. "Tampoco usted se enamoró de Ornette, ¿verdad?" El viejo se puso a reír con maldad. "No hubiera sido posible según me explicaron". Antes de que me atreviera a responder me ordenó que dejara la maleta de Ornette con él y fuera a entregar el camión.

Hice como me pidieron. Fui hasta la oficina, le entregué las llaves al encargado y conté el dinero antes de firmar el

recibo. Afuera me esperaba un jovencito en un Oldsmobile.
"¿Adónde vamos?" Encendió el radio en una estación de música ruidosa. A punto estaba de pedirle que me llevara de vuelta al maizal. "A una ciudad con aeropuerto".

El vuelo para San José salía hasta las nueve de la mañana, pero yo había llegado desde muy temprano a hacer mis trámites, luego de luchar en vano contra el insomnio y de prepararme mentalmente para cualquier eventualidad. Sin embargo nada extraordinario pasó. Quienes revisaron mi pasaporte no dijeron nada, ni supe si tomaron algún tipo de nota de mi identidad y destino.

La sala de abordaje tenía amplísimos ventanales, tiendas y restaurantes. En la parte central, dispuesta en altos paneles, se podía visitar una exposición de fotografías. En el lado izquierdo de cada panel estaba impresa una reproducción de alguna pintura famosa; en el derecho, la foto de un paisaje. El texto a la entrada de la exhibición explicaba que pintores de todos los tiempos se habían inspirado en lugares reales para crear sus obras. Lo que ahora se le presentaba al espectador como el paisaje original era realmente una composición hecha en computadora. "¿No le parece maravilloso?", dijo alguien. "Uno ve esos lagos, esos cielos reflejados en el agua, los bosques. Todo tan perfecto, tan real, pero es simple producto de ingenio y buen uso de software". Me volví a mirar a ese hombre, quien de inmediato sonrió. "A mí me da ansiedad", admití, "ver fotografías de lugares que no existen". Él me habló de las posibilidades sin límites de la imaginación humana, yo me sentí peor pensando en destinos imposibles, aunque en apariencia totalmente armoniosos. "El artista ha logrado componer un espacio a partir de montañas, ríos y bosques dispersos a lo largo y ancho del mundo. ¡Increíble! Nada es lo que vemos sino lo que intuimos", siguió el desconocido antes de preguntar mi nombre y alegrarse porque ambos volábamos a Costa Rica.

"Me llamo Max… Max y Marc… M&M como los chocolates".

Se rió de su ocurrencia y probablemente le correspondí. Después quiso saber mi número de asiento y muy pronto me estaba arrastrando hacia el mostrador de la aerolínea para tratar de viajar juntos. De ahí en adelante apenas nos separamos al momento de subir al avión, pues revisaron detenidamente mi pasaporte, aunque al final igualmente me lo devolvieron sin hacer comentarios. "Estaré de vuelta en poco tiempo", les dije. "Volveré". Ellos le hicieron una indicación al siguiente pasajero de la fila.

Max esperaba por mí en la manga de abordaje. Luego me hizo las preguntas de rigor, fascinado por el oficio de chofer de camiones. Para él, manejar por las carreteras norteamericanas equivalía a los viejos recorridos en barco. "El río se ha vuelto asfalto, los puertos se han multiplicado, asimismo las aventuras…" Me hicieron gracia sus ocurrencias. Le conté entonces de las tormentas de granizo en Indiana, de los ciervos muertos en las autopistas de Maryland, de cómo huí de un tornado en Illinois, de las delgadas capas de hielo sobre la carretera que uno debía remontar vacilante como en otro tiempo se hacía con las corrientes salvajes. "Sí, del hielo yo sé bien", dijo Max. "Vivo en Fargo, donde el invierno es severo y dura hasta vencer a los más optimistas". Pero a él jamás lo doblegaba el frío, ni la nieve, ni la oscuridad. Tenía una academia de danza latinoamericana. La gente acudía todo el año, pero especialmente en los meses más duros, cuando no era posible andar por las calles ni juntarse con los amigos en un estadio. "Trabajo hasta dieciocho horas al día, pero tengo una clientela fiel y he logrado ahorrar para comprarle a mi familia todo lo que necesita. Muchas mujeres me buscan… digamos que me alquilo para bailar con ellas, nada más".

Luego vino la conversación más personal, estimulada por algunos cocteles que Max ordenó. Él había conocido a una gringa, se casó con ella y juntos montaron la academia de

177

baile. ¿Yo? Yo había sido reclamado por mi padre, un militar que tuvo una aventura con una tica residente en la zona del Canal de Panamá. La relación con el padre nunca fue buena, así que al cabo de mucho tiempo de vivir con él en un suburbio de New Jersey, tomé mis cosas y me fui a recorrer el país de costa a costa. Max se me quedó mirando con un aire de duda, pero tal vez intuía que su historia tampoco era creíble. Entonces cambió de tema. Ahora eran los motivos para visitar Costa Rica en esa época del año. "Mis propiedades", dijo, "estoy tratando de adquirir unos terrenos para construir apartamentos". Los míos eran menos glamorosos, yo simplemente tomaba un respiro para visitar a mi madre. "¿Te está esperando con tu comida favorita como todas las mamás?" No, de ningún modo. Ésta era una sorpresa. Nadie me aguardaba ni en el aeropuerto ni en casa. "A mí tampoco", susurró Max en tono confesional. "Primero me doy una vuelta por las playas, después aviso en casa y cuando llego las delicias ya están servidas". Le dije que era un embustero. Riéndose a carcajadas proclamó que todos lo éramos, que nadie se escapaba de la mentira.

Una vez en el aeropuerto, Max siguió detrás de mí. Yo intuía las razones, pero como buen mentiroso mantuve la boca cerrada, esperando que picara el pez. Casi en la puerta de salida finalmente se atrevió a invitarme a viajar con él. "Es poco tiempo, unos cuatro días, pero a veces es necesario cargar las pilas antes de enfrentarse a la familia". Sin hacerme rogar accedí. Me gustaba el humor de Max, y la voz interna me aseguraba que podíamos divertirnos juntos.

Alquilamos un carro, salimos hacia la costa, hablamos. Hubo algo de jugueteo en el camino y así se nos hizo tarde, por lo que decidimos pasar la noche en ruta a las playas. En un hotelito repleto de loros, ciervos y monos tomamos un cuarto con una cama. Afuera había música, ruido de pólvora, y la insistencia de quienes invitaban con altavoces a presenciar los más fabulosos actos de encantamiento: la mujer gorila, el laberinto de espejos, la casa del terror... Fuimos a echar un vistazo. Recorrimos los puestos de comida, la plaza de toros, los juegos mecánicos y al final entramos a una cantina improvisada bajo un palenque. Unos marimberos tocaban canciones que me parecían familiares y a la vez remotas, extrañas. Max ordenó cerveza y gallos de carne, luego nos sentamos junto a la pista de baile. Un hombre muy joven, con chonete y la camisa abierta casi hasta la cintura, se puso a bailar solo en el centro de la pista. Llevaba en la mano una caja de madera, llena de cepillos y latas de betún. La gente empezó a silbarle al muchacho, a gritarle *rico, papi*. Nosotros mirábamos absortos la danza, el desafío del limpiabotas, y cómo los comentarios y los chistes de la concurrencia se volvían más agresivos y tensos.

"Esto es una vergüenza", se quejó otro muchacho de la zona, mucho más fuerte y varonil que el solitario danzante. "Vienen personas de afuera como ustedes y tienen que soportar este espectáculo".

Max volteó para responderle al quejoso, pero se contuvo y más bien lo invitó a sentarse con nosotros. Luego me guiñó un ojo.

"No puedo creerlo, esa gente hace el ridículo y nos pone en mal con los turistas".

Le ofrecimos comida y bebida, pero solamente aceptó una cerveza. Mientras tomaba se puso a hablar de cómo habían cambiado los tiempos, pues desvergonzados como el limpiabotas se encontraban por todas partes.

"Nosotros vinimos a pasarla bien", lo interrumpió Max, "no a criticar a la gente. Más bien la admiramos mucho, usted sabe, el tipo de hombre de por aquí".

El desconocido se disculpó, le hizo una señal al camarero para pedir otra ronda de cervezas, y preguntó cuáles eran nuestros planes.

"Ya le digo, disfrutar este poblado y a su gente", le respondí. El joven miró alrededor y dijo, medio en broma, que con mucho gusto él nos brindaba toda la hospitalidad que quisiéramos. Entonces Max señaló el hotelito. Le dio nuestro número de habitación al sabanero y propuso que nos divirtiéramos los tres. El desconocido pretendió escuchar la música, dio otro vistazo a la concurrencia e hizo un gesto de desagrado dirigido al limpiabotas.

"Caray, esa gente es una vergüenza... Voy con ustedes, pero no pueden vernos juntos".

"No hay ningún problema. Primero entro yo al cuarto, luego usted, por último mi amigo Marc". Sin dudarlo un instante, Max se levantó y se fue. Yo pedí la cuenta, el muchacho se bebió la cerveza en un par de sorbos.

"Vamos a entretenernos", volvió a prometer con una sonrisa. Finalmente empezó a caminar rumbo a nuestra habitación.

Yo le di un minuto y me fui lentamente, bordeando la pista donde el limpiabotas seguía bailando a pesar de las burlas. El otro muchacho iba adelante, y pude apreciar la inmensidad de su espalda y la firmeza de su trasero. Como salido de la nada, el deseo pronto estuvo allí, pulsando mi cuerpo con inusitada fuerza. Nuestro nuevo amigo tocó la puerta de la habitación y entró. Apuré el paso, no quería desperdiciar un solo minuto. Alrededor de mí, como envolviéndome, continuaba el alboroto de las fiestas, la música de marimba y las convocatorias para asistir a los espectáculos más asombrosos. Entonces me invadió una plácida certeza, muy dulce y amable. Y me dije que quizás, por primera vez en mucho tiempo, estaba regresando a casa.

Baltimore, 2008

Post Scriptum

Los cuentos de *Viajero que huye* muestran parte del trabajo que he realizado en los últimos años. No *son* todas las historias, aunque las que *están* abordan temas y retos estilísticos que me han interesado por ya algún tiempo. Los textos que he excluido deben esperar por algún detalle aún no resuelto, o porque las motivaciones iniciales para escribirlos han cambiado y ahora, en este caluroso junio del 2008 en Maryland, no me dicen gran cosa.

Al contrario de lo que se suele decir, mi proceso creativo no responde a raptos de inspiración, ni a demonios o ángeles que suelen presentarse a ciertas horas. En oposición a lo que piensa Haruki Murakami, el cuento para mí es el producto de la disciplina de trabajo. Pocos los he escrito de un tirón, y hay cuentos en este volumen que han sido reescritos varias veces. Algunos de los que no han pasado la criba final también encierran mucha reflexión y muchos borradores.

Si bien el proceso escritural puede enmarcarse en un tiempo y una geografía concretos —las referencias a lugares y fechas al final de cada historia tienen el propósito de integrar a la ficción la circunstancia vital en la que el cuento ha sido escrito, algo así como una biografía oculta, apenas mencionada como dato— las temáticas exploradas en *Viajero que huye* provienen de fuentes más difusas, de experiencias propias y ajenas que se han dado a lo largo de más de dos décadas. Aunque ninguno de los cuentos es estrictamente autobiográfico, todos parten de hechos vividos o atestiguados. Detrás de ellos siempre hay alguien significativo en mi vida, aunque esa persona haya sido un extraño. En estos cuentos se puede hallar, por lo tanto, reescritura, parodia y homenaje. Son también comunicación a varios niveles, y quienes me conocen podrán encontrar chismes, bromas, nombres familiares, retratos de sí mismos y de otros; todo mezclado en historias que nos pertenecen y que a la vez ya no son nuestras. La maravilla de la ficción radica en esa posibilidad de salirse de uno mismo, de deshacerse en una trama para crear un testimonio colectivo, un ambiente moral y espiritual, un retrato que puede verse en su conjunto y a la vez en los pequeños detalles.

Alrededor de la novela se ha creado una mitología que procura justificarla como la forma ficcional por excelencia, denigrando por ausencia los aportes y los retos del cuento. Mucho de lo que yo escribo intenta socavar esa supremacía de la novela. Estilísticamente el cuento permite la experimentación, es capaz de llegar hasta el fondo de un asunto y hasta las profundas complejidades de sus personajes. Su vocación por la brevedad no es una limitación sino un desafío. Incluso la idea misma de brevedad es cuestionable, pues lo breve no significa lo mismo para todos los lectores y creadores, incluso en el ámbito de la lengua española. A final de cuentas la brevedad es una intención que guía al escritor a la hora de componer su obra. El cuentista no tiene el propósito de expandir el texto casi ilimitadamente sino contraerlo, reducirlo constantemente a su esencia. De ahí la importancia de la palabra exacta, de la imagen precisa, de la referencia cultural. Si bien el cuento tradicionalmente se relaciona con la novela, a veces como escuela o divertimento o evidencia de las limitaciones de los escritores, ahora también debe hacerse con el cine y la televisión. Estas formas artísticas sugieren, editan al máximo lo leído o visionado, negocian la atención y el tiempo. Dentro de estas restricciones depende del artista cuán lejos llega.

En Centroamérica la producción cuentística ha sido ingente, pero aún en pleno siglo XXI pareciera estar fuera del radar de muchas personas. Es una especie de margen dentro del margen que constituye la literatura centroamericana. Si bien este hecho puede resultar desalentador para algunos cuentistas, lo cierto es que también puede verse como una puerta abierta a la total libertad creativa. Al contrario de la novela, cada vez más sujeta a las exigencias del mercado, el cuento centroamericano tiene la capacidad de volar sin restricciones. Así nos representa, pues simboliza lo mejor de quienes nos sabemos parte del Istmo.